JN045480

SQ選書
20

極私的エッセイ

コロナと向き合いながら

飛田雄一
HIDA Yuichi

社会評論社

●極私的エッセイ　コロナと向き合いながら　目次

第4話 南京への旅・ツアコンの記……67

第5話 「青丘文庫」実録……93

第6話 「六甲古本市」全？記録……115

プロローグ

コロナ、こまったものだ。当初の二月ごろは、夏には収まるのかな、南京ツアーはできるのかななどと考えていた。しかし、そうではなかった。

でも、コロナ自粛ばかりしてはいられない。エッセイを書くことにした。まずは、「極私的べ平連神戸事件顛末の記」を書いた。六月のことだ。武勇伝ではないが、無届デモで逮捕されたことなどを書きたかったのだ。書くと人に読んでもらいたくなる。神戸学生青年センターの印刷機で五〇部ほど印刷して配布した。おもしろいと言ってくれる人がいた。Facebookにもアップした。それなりの反響があった。

そしてまた続きを書きたくなった。そして次のような小さな冊子が七冊となった。本書の順番は書いた順となっており、時系列的には交錯している。

1　極私的べ平連神戸事件顛末の記
2　極私的阪神淡路大震災の記録
3　極私的「コリア・コリアンをめぐる市民運動」の記録
4　極私的南京への旅・ツアコンの記

5　極私的「青丘文庫」実録
6　極私的「六甲古本市」全?記録
7　極私的 ゴドウィン裁判　初・原告団長の記

それぞれに適当部数を印刷して配布した。おかげでコロナ禍のもと、充実した日々をおくることができた。それぞれに「極私的」を冠しているように私的な記録であるが、それなりに貴重な体験でもあるようで、読者カード?も何枚か届いた。

単行本としても出版したくなった。そして、こうしてそれが実現した次第だ。しかし、コロナ自粛エッセイを一段落して出版社に入稿すると、それはそれでまた書きたくなってくる。コロナ自粛への抵抗力?がついたのである。番外編を書いた。「オカリナ・ことはじめ」だ。これは、同じように小冊子に印刷して無料配布している。ご希望の方は連絡をいただければお送りする。


ここで、時系列的に私の市民運動歴のようなものを概括的に書いてみようと思う。

私は、一九六九年に大学に入学した団塊の世代の最後だ。「べ平連神戸事件の顛末」で書いたように、学園闘争の最中に入学した。べ平連神戸が在日朝鮮人にかかわっていたことから、学生時代にその権利擁護の活動にかかわった。また現在も活動を継続している朝鮮の歴史文化を研究する「むくげの会」は一九七一年一月スタートで、べ平連神戸での活動の延長線上にある。機関誌の「むくげ通信」には、「植民地下朝鮮における抵抗運動を象徴する花の「むくげ（無窮花）」を会の名とする。朝鮮の言葉・歴史・文化を学ぶサークル」とある。当初は、半ば義務的に？勉強を始めたが、テーマの朝鮮そのものが面白くなり、現在まで続いている。むくげの会をテーマにエッセイを書こうともしたが、なにしろ一九七一年一月から今まで続いているのだから、そう簡単には書けない。来年一月には五〇周年となるので、そのときに書きたい。

七〇年代は、私の二〇代。一九五〇年生まれだから計算しやすい。一九六九年に大学に入って、四年の学部を六年、二年の大学院修士課程を三年かかって一九七八年に卒業した。一・五倍通ったことになる。「表裏で学部八年」という学生もいたので、ましな方だ？　大学院時代にはすでに神戸学生青年センターで週二、三回アルバイトをしていた。一九七八年四月、卒業してすぐセンターに就職した。

「「コリア・コリアンをめぐる市民運動」の記録」に書いたが、七〇年代に在韓被爆者・孫振斗さん支援、中京煥裁判、民族差別と闘う連絡協議会（民闘連）などにかかわった。在日韓国人政治犯救援運動にもかかわった。一一・二二救援会の冊子『濁流に抗いて』は編集を担当し、題字も書いた。冊子としては一万部ほど発行した、われわれ市民運動業界ではベストセラー？だった。

八〇年代、私は三〇代。一九八二年の教科書問題のときには、センターの朝鮮史セミナーでこの問題をとりあげ、中塚明先生の講演録に韓国の新聞記事を翻訳／収録した『教科書検定と朝鮮』を発行した。これもけっこう売れた。センター出版部は、最初の本、梶村秀樹『解放後の在日朝鮮人運動』（一九八〇年七月）が好評で、次々と何冊か発行した。売れる本もあれば、いい本ですねと言われながらもさっぱり売れない本もあった。

八〇年代は、指紋押捺反対運動が展開された時期だ。兵庫で、林弘城さん、梁泰昊さん、金成日さんらが拒否をして、裁判にもとりくんだ。金成日さんの関連で、朝日新聞の小尻記者とはよくお会いした。金成日さんが釈放されたとき、署内で強制具によって指紋をとられた問題をスクープして全国版に記事を書いたのが小尻記者だった。一九八七年五月三日、朝日新聞阪神支局で小尻記者が殺害されたのは本当にショックだった。小尻記者の記事で最も注目された記事が金成日さんの記事だと言われていたので、私たちの心に大きな恐怖心を与えた。

九〇年代、私の四〇代は、ゴドウィン裁判から始まった。くも膜下出血で入院したスリランカ人留学生・ゴドウィンさんの医療費をめぐる裁判だ。生活保護費でそれを支払うことをめぐる裁判で、被告は日本国／厚生省（当時）だった。「「コリア・コリアンをめぐる市民運動」の記録」で書いたが書き足らなくて、「ゴドウィン裁判　初・原告団長の記」を書いた。そのエッセイの最後はみなさんを失望させることになるかもしれない。

九〇年代の大事件は私にとっても阪神淡路大震災（一九九五年一月一七日）だ。センターでアルバイトをしていた韓国人留学生のアイデアで、被災留学生への生活一時金支給などを行った。大変だったがとても充実した時期でもあった。留学生との餃子パーティ、キムチチゲパーティなどはいい思い出となっている。震災のおかげで生まれた六甲奨学基金は、現在まで継続している。奨学金のための古本市は、今やセンター最大のイベントとなっている。二か月間で三百万円以上を稼ぐというのがなんといってもインパクトがある。古本市のことを「阪神淡路大震災の記録」で書いたが、書き足らなくて、「「六甲古本市」全?記録」を書いた。そこに古本市にノウハウのすべて?が収められている。

古本市の評判を聞きつけたようで、〇〇刑務所の△△さんから手紙が来た。小さい字で本の題が二〇冊ほど書いてあった。代金を払うので送ってほしいとのことだった。ボランティアにそのリストを回して探してもらい、何冊か送った。毎年のようにリクエストがきて、同じように本を探して送った。その彼から衆議院選挙のとき、選挙翌日の新聞五紙を送ってほしいと依頼が来た。新聞販売店を回って新聞を集めて送った。

しばらくして、刑務所事務官から手紙とともに新聞が送り返されてきた。新聞の差し入れは、〇日以内と決まっており、すでに時期が過ぎているので返送するという。おかしい。彼の権利が侵害されている。不服申し立てをした。でもだめだった。せめて彼に、新聞を送ったけれども理不尽な理由で返送されたことを伝えたかったがそれもできなかった。

裁判でもしたかったが、それはそれで大変なので知り合いの弁護士にどうしたものかと相談した。京都弁護士会に人権侵害救済の申し立てをしてはどうか、とのことだった。するつもりだったが、時間的余裕がなくなりできなかった。残念だ。その後も彼から古本の依頼がくる。できるだけ探して送るようにしている。


「南京への旅・ツアコンの記」は、神戸・南京をむすぶ会のツアーの記録などだ。きっかけは一九九六年のゴールデンウイークの時期に、神戸王子ギャラリーで開いた「丸木位里・俊とニューヨークの中国人画家たちが描いた南京1937絵画展」。ボランティアが、現地南京を一度は訪問したいと結成した訪中団だ。それが回を重ねているのである。コロナがなければ二〇二〇年夏に第二四回目の訪中をしているはずだった。

私は団の秘書長として参加している。最初は神戸・南京をむすぶ会の役職とおなじ「事務局長」だったが、中国では秘書長の方がいいと言われてそうなっている。旅の思い出はつきない。本書のエッセイのなかで一番の長文となっている。私は、『旅行作家な気分―コリア・中国から中央アジアへの旅―』(合同出版、二〇一七年一月)を出しているが、そこに中国の旅も多く収録されている。この本の題を「ツアコンの記」としたかったが、ライセンスをもたないもぐりのツアコンなので遠慮してこの書名にしたいきさつがある。今回は、もういいだろうと「ツアコンの記」とした。『旅行作家な気分』も読んでくだされぱうれしい。コロナも永遠に続くものではないので、南京ツアーもまた再開できるものと期待している。ツアコンは終わらない……。

また、一九九〇年から「朝鮮人・中国人強制連行・強制労働を考える全国交流集会」が九九年まで一〇回開かれた。全国各地で開催され、多くの仲間との出会いがあった。最後は「内紛」により終わった。その内紛の恨みつらみ(そんなたいしたものではない)についても、「「コリア・コリアンをめぐる市民運動」の記録」に書いている。「偽装倒産」説もでたのだった。交流集会の延長線にあるともいえるのが、二〇〇五年七月の「強制動員真相究明ネットワーク」だ。遺骨返還、明治産業遺産の問題などに取り組み、現在も活動を継続している。

二〇一〇年代は、私の六〇代になるが、還暦を考えることもなく動いている。阪神淡路大震災を契機にうまれたNGO神戸外国人救援ネットも活動を継続している。

本書は極私的な市民運動の記録だ。コロナ自粛ではつまらないので、この機会にと昔の資料を引っ張り出したりして書いた。「「青丘文庫」実録」はなじみがないかもしれないが、青丘文庫という図書館があること、青丘文庫研究会があることをぜひ知っていただきたいと思って書いた。

私は、『現代日本 朝日人物事典』（朝日新聞社、一九九〇年一二月）の一部を書いているがそのおかげで？ そこに私の名前もある。この事典のアマゾンの宣伝文は次のようなものだ。

「昭和を一日でも生きていた人を対象とした「現代日本人物事典」。発行が一九九〇年のため、実質上の昭和史人物事典。政治家や財界、文化勲章受章者といった人はもちろん俳優や歌手、新興宗教の教祖等まで。」

私は歌手でも教祖でもないが、歌手ピーターの前にでてくる。「市民運動家」と紹介されている。なにか職業革命家のようだ。私のことを、趣味と運動をいっしょにできて、うらやましいという友人がいる。が、そんなことはない。でも、そのようにいわれることは幸せなのかな、と思ったりする。

六〇を過ぎたら論文を書くよりエッセイを書く方が有益だと著名な学者がいわれたそうだ。わたしも、そうしてみた。有益かどうか自信がない。でも極私的なこの本が、少しは役に立つことを願っている。

第1話 べ平連神戸事件顛末の記

1 「あんたは悪くない、悪いのは警察だ」

べ平連の少年Aらが六甲道踏切で米軍の武器輸送に反対して無届デモをして逮捕された。これが一九六九年秋の新聞記事、この少年Aが私だ。二〇歳までの少年は、新聞によほどの凶悪犯でないかぎり?、実名がでないようになっているのだ。

実はこれをテーマに小説を書こうと思った。が、小説はフィクションでなければならず?、小心な私はそれができそうにない。で、実話的エッセイとして書くことにした。エッセイにしては長文になるかもしれないが、おつきあい願いたい。

また一方で、母・溢子（いつこ）を主人公にして小説を書きたいと考えたこともある。昨年（二〇一九年）出版された石塚明子（筆名・大西明子）さんの小説『神戸モダンの女』（編集工房ノア、二〇一九年八月）に刺激を受けたのだ。一九二四年生まれの母は、キャリアウーマンのはしりで、私が小学中学高校と進むにつれて、たびたび「ただものではない」ことを知ることになる母であった。今回のテーマである私の逮捕事件で身元引き受けに来てくれたのも母だった。そしてそのたびに、「あんたは悪くない、悪いのは警察だ」といっていたのである。なぜか父は一度も来なかった。

母に比べれば存在感のうすい父・道夫についても、私は年をとるにつれて、いろんなことが理解できるようになった。私が大学に入ったころ、父は働いていた印刷会社が傾きかけて退職した。家庭教師をけっこうして稼いでいた私は、父に小遣いを渡したりしていた。パチンコでたばこを景品にもらってプレゼントしたこともある。たばこをゲットするくらいのパチンコは、けっこううまくいくのだった。父は、孫（私の姉の子）の世話を契機に再び社会デビューし、マンションの理事長をしたりした。また私の市民運動のあて名書きもしてくれた。さらに長年私にかわって新聞切り抜きをしてくれたが、その新聞スクラップは今も青丘文庫（神戸市立中央図書館内）に保管されている。

母が一冊だけ作った絵本『だめはなこのはなし』（二〇〇四年五月）を姉と出版した。絵は、当時母が園長をしていた幼稚園の先生が描いてくれた。父の句集（一九九五年七月）も出した。父は、自分の句が一度、ＮＨＫ俳句雑誌の表紙を飾ったことが自慢だった。ふたりとも本を出してからしばらくして亡くなった。本を出したことが、よかったのか、悪かったのか分からない。両親のことをこのように書き始めたらきりがないので、ここでその話はやめる。

２　「神戸大学べ平連学部」

私は一九六九年四月に神戸大学農学部に入学した。その年は全国の大学で学園闘争が盛んであった時だ。大学はバリケード封鎖されていて授業はない。でも「クラス討論会」が毎日のようにあり、私も参加していた。バリケードの中である。そして、大学内に事務所がある「べ平連神戸」の事務室に出入りしていた。いりびたっていたというほうが正しいかもしれない。母は、「ゆうさん（私のこと）は農学部ではなくべ平連学部に入った」といっていた。

私が逮捕されたのはその年の秋、米軍の弾薬列車輸送阻止のためのデモだった。阻止といってもＪＲ六甲道の踏切あたりで抗議のデモンストレーションをするだけである（当時は国鉄、民営化される以前だが以降ＪＲとする）。大学で同級生をさそいべ平連神戸のメンバーとあわせて三〇名ぐらいが、デモをしながら阪急六甲をとおりＪＲ六甲道まで行った。

列車がきた。実はその列車がほんとうにその列車かどうか分からないが、線路内をジグザグデモ的に行ったり来たりした。警報機が鳴り始めた。私たちは、列車にひかれても阻止するのだ、というような覚悟はない。でも警報機がなってすぐに出ていくのはカッコわるいから、もう少しうろうろしてから遮断機を少し持ち上げて外にでた。そして逮捕された。先頭にいた私を含めて七、八人、灘警察署に連れていかれた。もちろんパトカーに乗ってだ。当時、ＪＲ六甲道付近は高架になっていなかった。高架になっていたらデモもできないし、逮捕もなかったはずだ。少し残念だ。

警察での取り調べは過酷、ということはなかった。外では仲間が「不当逮捕糾弾！」とがんばっている。その声もよく聞こえる。取り調べが始まる。私は初体験だったが、けっこう落ちついていた。最初に「弁解録」というのを作る。これは予習していなかったので、すこし面くらったが適当にすませた。

そしていよいよ本格的な取り調べが始まる。当時の活動家のあいだでは完黙、すなわち完全黙秘が原則だったが、私はちがっていた。名前、はい○○、住所、はい○○、という風に進んだ。そして、本籍は？　という問いに、黙秘しますと返事した。警官は少しびっくりしていた。ここまで素直に話していたのにここで黙秘とはなんだ、ということだろう。実際、名前住所を言ったのだから本籍も言っていいんじゃないと言っていた。私もそういう気がしたが、きりがないのでここでストップして、黙秘。何回も聞かれるが黙秘。私はこれ以降すべて黙秘なので調書にそのように書いてよと言ったが、それはだめらしい。

そのあと延々と、どこから出発したのか、どの道を通ったか、誰の指示なのかなどなどいっぱい聞く。だから調書はけっこう長い。質問、黙秘します、質問、黙秘します、と続く。

一日目が終わった。灘警察署地下の留置所に移動する。夕方、また仲間がやってきてシュプレヒコールをする。よく聞こえる。地下といっても半地下で、明かりは入るし、外の声もよく聞こえる。

３　留置場で倒立の練習

翌日も取り調べだ。朝から同じことの繰り返しだ。名前、飛田、住所、○○、以下黙秘でいいのだが、いちいちこの質問、回答をそのまま書くのでまた長い調書ができる。親しくなった刑事がデモの写真を見せながら（けっこうたくさん写真をとっている）、これは誰だ、これは誰だと聞いてくる。刑事がかわいそうなので?、いっしょに逮捕された友だちの名前だけ言ってあげた。その後列の人は、知りません、そのとなりは、知りませんとまた調書が続く。

その日、弁護士が接見に来てくれた。「神戸市民救援連絡会」の電話番号を警察に伝えてあったのだ。事務所は代表の加瀬都貴子さんのご自宅で、その電話番号は暗記していた。どういうわけかいまでも覚えている。最近のことはすぐ忘れるのに……。

もうひとつ、取り調べ中に親子丼を食べた。自費だ。お金はある。差し入れられたものだ。留置所では食べることはできないが、取り調べ室ではなんでも?、注文して食べられるのだ。指定業者がある。おいしかった。

留置所で私は独房だった。主犯とみなされたようだ。他のメンバーは四、五人部屋だ。そこでは、先輩の窃盗犯らと紙の将棋をしたという。若いのでかわいがられたらしい。私はいっしょに将棋ができなかったことを残念に思っている。

反対側の部屋には神戸大学全共闘の有名な中核派の活動家が入っていた。「べ平連なら街で反戦歌などの歌うのだろう、歌ってくれ」と言ってきた。が、歌わなかった。恥ずかしかったし、歌って看守にどつかれたりしたら痛い。

留置所に入る前、私は、トイレは別の場所にあるのだろうと思っていた。が、ちがっていた。部屋の中にあるのだ。あるといっても隅に便器があるだけだ。したがって気分転換に房外に移動するということもない。食事は、健康食だ。白米に麦が少しまぜてある。ただ量が足りなかった。不足分は取り調べ中に出前をたのんで補った。

独房なので、ひとりでなにをやっても自由、ということではなかった。基本的に静かにじっとしていなくてはならないのである。ドアと食事を差し入れる部分以外は鉄格子状になっている。看守は見まわりにきたら、いつでも中の私の様子をみることができる。その鉄格子にへばりつくようにして留置所の入口付近をみると看守がいる。でも看守がそこから私の部屋のなかをいつも見ることができるわけではない。

私は中高の六年間、器械体操をしていた。そこそこの選手だったのである。狭いところでも腕立て伏せ、倒立、腹筋、背筋、スクワット、なんでもできる。ずっとしていた。むかしは「自然倒立」といっていたが、勢いをつけずに力だけで倒立するのがある。それをいちばんしていた。片手を横腹につけて全体重を支えるという、サーカスのようなポーズもしていた。看守が見に来た時には適当にごまかした。

４　「アンポ神戸」は？

警察には三泊四日いた。どういうわけか、浪人組で、すでに成人となっていた仲間は二泊三日だった。三日目にその成人を留置所で見送った。友人は「ほんなら、おさきに」と言って出て行った。記憶が定かではないが、その友人が「この手錠いらんようになったから飛田にはめとく」といって実際にはめられたことがあったような気もするので、検察庁へ行くパトカーの中だったかもしれない。

三日目は検察庁。警察と検察は別組織だが、変わった印象はなかった。そして四日目、最後は家庭裁判所だ。少年の場合、最後にここに来るので一泊多くなるらしい。

その家庭裁判所は、私の卒業した湊中学のとなりにあった。手錠をかけられたまま母校のそばに行くのは抵抗があった。運動場から生徒の声も聞こえてくる。卒業してまだ三、四年、中学校から知っている先生が、あるいは付近の商店から知り合いが出てこないかきょろきょろしていた。家裁もそれなりに終わり釈放された。そして起訴されたのか、されなかったのか、通知はない。あれから五〇年、いまだにない。もちろん「時効」があるはずだが、いつでも起訴できるんだぞというおどし、担保を長い間残しておきたいという魂胆があるのだろうと推察する。

釈放のとき、身元保証人の母がきてくれた。ほとんど記憶がないが、家裁から自宅にもどったのか、あるいはべ平連神戸の事務所に直行したかもしれない。

この三泊四日、すでに書いたようにそれなりの生活をしたが、ただひとつ印象的なことがある。それは、「思考停止」だ。忙しいべ平連生活を送っていた私は、拘束され時間ができたので、いろんなことをゆっくり自由に考える時間ができたと思った。が、ちがった。普通の思考的なことが思い浮かばないのだ。この状態を文字で表現するのはむつかしい。このあたりが、私が小説を書けない理由かもしれない。

気が滅入ってしまったというのではない。うつ的になったわけでもない。少しも、なにも思い浮かばないだけなのだ。もうすぐ雪が降る、スキーに行きたいな、彼女はどうしているのかな（そのときは誰かな?）、次号の「アンポ神戸」はどうなるかななど、普通のことが考えつかないのだ。頭が真っ白という状況でもない。三泊四日でなくて、二、三〇日拘束されるとそれが日常的となり、普通にものを考えられるようになるのだと思う。かといって、私はもっと長いこといたかったということではない。

5　花時計の思い出

べ平連神戸の主な活動の場所は、三宮花時計前。毎週土曜日午後、そこに陣どって集会を開いた。主にリーダーの西信夫さんが演説をして、私もときどきした。最初のころはサンチカで、新宿「フォークゲリラ」スタイルで集会をしていたが、地上に追い出されたのだ。地上の世界では花時計前、そしてより人通りの多い三宮センター街入口だ。露天商の人たちとも顔なじみとなり、カンパしてもらったこともある。

そして月に一回程度はデモをしていた。コースは花時計北上、生田新道西進、鯉川筋南下、三宮センター街東進、そして花時計前だ。デモ届けのたびにそのように書いたので、いまでもすらすら出てくる。

警察へのデモ届は、簡単なようでむつかしい。最初は西さんが申請していたが、ある時期から私がするようになった。警察はデモ届にきた新人に、いじわるをするのである。

花時計で集会をするのか?、します、では神戸市に集会許可をもらうように。

そして神戸市に行く、なかなか許可をくれない。でも集会許可は必要なのである。集会許可がないと「無届集会」ということになり、それだけでややこしい問題となる。けっきょく、あとで神戸市に集会許可をもらいますからと、集会申請、デモ申請を同時にするのが正解なのだ。

三宮センター街入口でアピール活動をしているときも、集会申請をしろと言ってくることもあった。しかし、集会申請なしで、無届集会を貫徹した。貫徹という言葉が、当時はやっていた。

6 「多聞台べ平連」

実はその後も二度、逮捕された。二回ともビラはりだ。一回目は垂水区の自宅近くで「多聞台べ平連」のビラを電柱に貼っていてつかまった。一九七〇年のことだったと思う。べ平連は自由な「組織」で、ひとりでべ平連を作ることができたのである。そのときの行き先は垂水警察署だ。取り調べはほぼ前と同じで、「住所不定無職拘留」だけは避けた。深夜、また母が迎えに来てくれた。自宅からそう遠くはない。タクシーで帰ったと思う。

その次は、神戸駅前。一九七四年七月の参議院選挙で三里塚反対同盟の戸村一作さんが立候補したときだ。公示日が七月七日、早朝からのビラはりだ。選挙なので大きめのポスターだ。私の担当はJR神戸駅周辺、TさんとOさんの三人組だ。最初から尾行されていたようで、けっこう早くつかまった。こんどは生田署だ。生田署は私がデモ申請に何度も行ったことのあるところで、公安担当の刑事とも知り合いだ。

例によって、名前住所はすらすらと陳述し、あとは黙秘だ。しばらくして刑事がきて、TさんOさんが完黙して困っている、という。私はふたりに会わせてほしいといった。会った。警察署内で三人だけで、許可を得て会ったようだ。名前住所を言ってあと黙秘で行こうと提案、ふたりはそれを了解してそのとおり陳述した。そしてその日のうちに三名とも釈放となった。この時はもう成人だったので、母は来る必要がなかったかもしれない。ビラはりで捕まった二回も起訴されなかった。といってもその通知を受け取ったわけでもない。

7　高倉山での苦い思い出

逮捕関連で苦い経験がある。一九六九年七月一二日、高倉山（神戸市須磨区）での神戸大学全学集会でのことだ。これは大学当局の肝いりで封鎖解除を学生に決議させるために開かれたものだ。現在は高倉台団地となっているところで、当時はそこで機動隊がデモ鎮圧の訓練をしていた。その訓練の延長線上に?、集会が実施されたのだ。

もちろん全共闘グループは集会粉砕のためそこに向かった。神戸大学から阪急六甲、そして山陽電車須磨寺駅から会場に向かった。その間はすべてデモ行進だ。先に書いたように、授業がなくても盛んにクラス討論会を開いていたわれらが農学部園芸科のメンバーも参加した。四〇名ほどのクラスで半分くらい参加したのではないかと思う。すごい出席率だ。

集会粉砕のために集まった全共闘グループは、千名ほどか。この時期の神戸大学闘争では最大の規模だ。でも他大学の学生も入っていた。私自身も関西学院大学でのデモに参加したこともある。もちつもたれつなのだ。

デモ隊は、授業再開を期待する学生たちの集団に突入して（乱闘したりしていません）、デモ行進をくりかえした。が、日頃の訓練でその場所を知り尽くしている機動隊員に追いつめられて広場の隅まで来た。一方は崖、高さは一〇メートルほどあったと思う。下のほうには小さな池状の水たまりもある。絶体絶命だ。そこに機動隊が突進してきた。われわれの集団がばらける。崖を飛び降りるか、機動隊の間をくぐりぬけて逃げるかである。私はくぐりぬける派だった。園芸農学科グループのうち七、八人がそのグループの中にいた。身をかわしながら逃げる。SとKが転んだ。助ける？余裕はない。

Sはどうなった、Kはどうなったなどと数人のメンバーで話ながら、事前に決めていた行動終了後の集合場所に向かった。山陽電車板宿駅の餃子の「珉珉」だ。SもKもいた。ふたりが逮捕されていたら、転んだのを見ながら逃げた自分を恥じていたかもしれない。なにしろ元器械体操部、身のこなしはすぐれている、転んだ人を飛び越えて、容易に逃げることができたのである。

ついでに思い出したが、授業がなくても農学部の先輩たちは「新歓」を開いてくれた。新入生歓迎会だ。会場は、神戸大学六甲台学舎の庭、夜景がきれいなところだ。乾杯ののち（これも未成年がいて今では無理？）、新入生の自己紹介が始まる。〇〇県〇〇高校出身、〇〇部でした、神戸大学にあこがれてきましたという感じだ。その年は、東京大学の学園闘争で入試が行われなかった年だ。家が貧乏で浪人ができないので、東大をあきらめ仕方なく神戸大学に来ました、という新入生が複数名いた。いいたい放題だ。

私の番がきた。兵庫高校卒業、器械体操部でした。普通はそのあとで先輩が、現役か浪人かと聞くのである。私は、現役だ。が、Ａ先輩は、「君は何浪だ?」と聞いたのである。当時の私が老け顔をしていたのかもしれないがひどい、傷ついた。そのＡ先輩の顔と名前は、いまでも覚えている。

8　「南京大虐殺絵画展」

時代は下がって（上がって?）、一九九六年四月。阪神淡路大震災の翌年、神戸で「ニューヨークの中国人画家が描いた南京大虐殺の絵」展覧会を開いた。会場は王子ギャラリー、現在は神戸市文学館となっている建物で、もとはその地にあった関西学院大学のチャペルだった。となりに当時、神戸ＹＷＣＡ会館もあり、中国から招いた幸存者（中国で災いから生きのびた生存者をこう表現する）の証言集会もそこで開催した。大規模な展覧会で成功を収めた。丸木夫妻の四メートル×八メートルという巨大な「南京大虐殺の図」もあわせて展示した。

右翼の妨害もあった。集会場のＹＷＣＡにやってきて、うそつくな、中に入れろなどと騒ぐ。

以前のべ平連時代には警察に守ってもらって集会をすることなど考えたこともなかったが、それもよかろうと警察に連絡した。警察は、事前に連絡をもらわなければ自分たちも出ていけない、右翼になんで来てるんやと言われたらこまるので、事前連絡がほしいとのこと。妙に納得したりした。考えたら、われわれも税金を払っている、われわれも守られてもいいんだ……。

集会場の入り口でにらみあいとなった。怒号も飛ぶ。すると刑事が、「飛田君、あんたがちょっと殴られたらすぐ彼らを逮捕できてこの場は収まるんですよ」と言う。さらに納得したが、そのようなことになるまえに収束した。よかった。

会場の王子ギャラリーに右翼の街宣車も来ていたので、刑事がときどきみまわりに来た。その刑事が、展示会のボランティアメンバーのひとりに、「飛田さんは尾行を巻くのが上手だったんですよ」といった。あとで聞いてびっくりした。七〇年代前半、当時ですでに二〇年も前の話である。べ平連時代、そういえば、ホームまでつけてきた刑事に電車に乗るとみせかけて乗らない、乗らないとみせかけて乗ったこともあった。いやいや、警察は引き継ぎがうまくいっているのか、実際その刑事が尾行していたのか知らないが、すごい情報能力だ。絵画展仲間に、飛田がこわいやつだと言いたかったのかもしれないが……。

四回目の逮捕は、今のところない……。

第2話　阪神淡路大震災の記録

1　タコの怪獣

その朝、私は、ねぼけていた。火曜日で私の休みの日、前日、淡路でのむくげの会一泊二日合宿から帰ってきたのだ。だいぶ遅かった。

まだ、明石海峡大橋はできていなかった。フェリーだった。その工事中の明石海峡大橋は地震で橋脚が一メートル？ずれたという。設計を修正してその後無事完成している。

神戸は地震がないところとして有名？だった。一九九〇年ごろか、東京に出張中に地震があった。震度四ぐらいだったと思う。私は大騒ぎしたが、東京の人は平然としていた。

一九九五年一月一七日早朝午前五時四六分、地震がきた。ちょうど、数日前にテレビでみた怪獣映画を、その瞬間にみた。アメリカの砂漠に大きなタコ？の怪獣がきた。地下にもぐりこんで住みだした。パニックだ。地上に動くものがあると、足?・を伸ばして捕まえ地下にひきずりこむ。住民たちは屋根にのぼり、動かないようにじっとしている。が、少し動いたとき、足がのびてきてやられるのである。

　地震で揺れたとき、私はまさにその場面だった。怪獣の足が私の体に巻きつき、私を地下にひっぱったのだ。私の足が地面に引き込まれる。砂漠だから砂地で、するっとはいる。もう少しで頭が砂のなかに沈んでしまうというときに目がさめた。二、三〇秒間ゆれた間にこんな夢を見たのだ。地震はちょうど、私の寝ている方向にゆれたようだ。それで足から地面に吸い込まれるように思ったのだろう。

　これまで経験したことのない大きな地震だ。震源地はここだ、この鶴甲団地だと思った。外はまだ暗い。連れ合い、娘は無事だ。物もそんなに落ちてないようだ。ふとんの中でしばらくじっとしていた。

　明るくなって、神戸学生青年センターに降りていくことにした。私の住む団地から歩いて三〇分ほどくだると阪急六甲駅、センターはその近くだ。

　センターに着いた。あたりのブロック塀は、ことごとく倒れている。団地ではそんなことはなかった。犬の散歩をしていた人を見かけたぐらいだ。

　センターの外では、管理人の中国人留学生家族（夫婦と子ども二人）が、毛布にくるまってがたがたとふるえている。いっしょに中に入った。事務所のドアはあいた。あけるとパソコンラックやテレビがドアの近くまできている。どちらもキャスターがついている。これがよかった。キャスターがついているので、倒れずに移動したのだろう。でも作動するか、心配だ。

センター内にある共同事務室にいった。ドアが開かない。中で物が倒れているようだ。求める会（正式名は「食品公害を追放し安全な食べものを求める会」、長い……）やむくげの会が入っている（後日あけた。ごちゃごちゃだが何とか大丈夫）。向かいの部屋は第二事務室、ドアはＯＫ。けっこう大きな移動本棚と印刷機がある。移動本棚はしなやか？で、無事だった。大きく揺れただろうが倒れていない。本もほとんど落ちていない。印刷機も大丈夫のようだ。こちらは重くって頑丈、倒れる心配はないということか。

この第二事務室の壁の傷は、今もメモリアルとして残している。壁に亀裂がはいっているのだ。他のホール、会議室の壁にも一部亀裂があったが、それらは営業上修理をしたのである。第二事務室は一般のお客様がはいらないところなので、そのままでいいや、ということになった。いまでもこの亀裂をお見せすることがあるが、この亀裂でもびっくりされる。一瞬にこのような亀裂が入ったのだから、やはり恐ろしいものだ。

２　震源地はどこ？

センター内をひとまわりしたあと、少し片づけてから家にもどった。お腹がへったのだ。電気、ガスは止まっているが、何か食べた。

娘が、学校はあるのだろうか、という。ないない、学校行く必要はないから阪急六甲、JR六甲道あたりを見に行ったほうがいい、そのあたりに友だちもいるだろうからと言った。そうしたようだ。

私はまたセンターに向かった。途中、当時市会議員の井上力さんと六甲台団地あたりであった。オートバイで団地に上がってきている。すでにだいぶ、市内をみてまわったようだ。「通電火災」が起こっているという。おそらくせっかちな住民が、早く電気を通してくれと電気会社に要求したのだろう。そして電源を入れると、物に埋まっていた電気製品から火がでたのだろう。六甲道あたりをみると、すでに三、四か所から煙があがっている。でも、消防車のサイレンは聞こえない。

センターに着き、こんどは少し本格的にかたづけをした。個人の家の電話が使えないが、センターの公衆電話ならつながるのではないかと近所の人が来た。もちろんOK（確かに公衆電話は比較的つながった）。公衆電話の前に一〇円玉をおいておくと、けっこうなくなった。

実は、震災当日の電話、直後はかかっていた。最初の電話は沖縄の友人からだった。韓国からもかかってきた。NTTが近距離の電話回線を制限していたようだ。東京にもつながらないので、沖縄の友人に東京への電話をたのんだこともある。逆にセンター近辺の友人とは電話がつながらない。歩いて消息を確かめたりした。電話が普通にかかるようになるのに、二、三日かかったような気がする。

電話関係の後日談がある。センターには一月二〇日ごろから被災した留学生がきていた。少しおちつくとみんな祖国に電話がしたいという。あたりまえだ。ＮＴＴとかけあった。センターは留学生が避難してきており国際電話がしたい、無料にしてほしい。しばらくしてＯＫとなった。私も韓国の友人にだいぶ?、電話をかけさせてもらった。二月に入ってのちに述べるように、被災留学生に三万円の「生活一時金」を支給したが、彼ら彼女らは三万円をセンターで受け取り祖国に電話もかけた。支援物資の食料、衣料品を受けとり、ときには自転車もゲットして帰った。よかった。

夕方になってセンターから南方面にでかけた。阪急六甲南西二〇〇メートルほどの六甲小学校に行った。すでに多くの被災者がいた。この小学校は同年八月、小学校避難所を閉鎖すると神戸市が言ったとき、残されていた被災者が市内で一番多い小学校だった。近辺の木造住宅はことごとく倒壊している。揺れの方向によるのか、北側に倒れている。小学校から西へ三〇〇メートル、将軍郵便局まできた。すぐ近くに最後の学生時代と卒業後、結婚して青谷に移るまで、三、四年ほど住んでいたアパートがある。が、それが分からない。一面、瓦礫の山となっている。あの親切だった大家さんはどうしたのだろうか、無事だったのだろうかと思う（無事でした）。

さらに南下してＪＲまで行った。六甲道から西へ二〇〇メートルほどのところ、ＪＲの線路の下を道路がくぐっているあたりまできた。木造住宅の地域で、まともに立っている家はひとつもない。二、三〇軒の家があったと思われるところに、四、五か所、野花をさした牛乳瓶と年賀状の束がおいてある。ここで、この方々が亡くなったのだ。救出しようとしたができず、遺体が運び出されたあと、友人がその花と瓦礫に埋まっていた年賀状を供えたのだろうと想像した。

そのすぐ近くのＪＲの橋脚をみて、びっくりした。いつもは地面から七、八メートル上にある線路部分が、すぐ目の前にあるのだ。三、四メートル沈んでいる。それも壊れているのではなく、砂地にすっと入ったような状態だ。全身の力が抜けてしまった。神戸市東部のＪＲは同じような状態だったと聞いた。住吉あたりで、前日まで自転車で線路部分の下を通過できたが、次の日には更に沈んでいて、通れなくなったという話も聞いた。六甲道駅はすでにフェンスがはられていて、その中の様子を見ることができなかった。ＪＲの駅のなかでもっとも被害の大きかった駅のひとつだ。開通も一番遅く、開通したのはその年の七月ごろだったと思う（私の勘違いだった。当時そのあたりに住んでいた人から指摘があった。四月一日開通だった。阪急神戸線が六月一二日）。

3　辛ラーメンきたる

夜、家に帰った。鶴甲団地は電気が回復していた。早い。地震後に知ることになった、地質学の常識？にこんなのがある。もともと地質のしっかりしているところは尾根筋として残り、弱いところは川筋となる。もともと鶴甲山を削って岩盤の上に団地を作ったのでそこは地震にも強い。なるほどとその説を今も私は支持している。そういえば川筋に切り開いた宅地は弱かったように思う。

家で、ガス水道はまだだが、それなりの夕食をした。テレビを見た。長田地域の火災のことも初めて知った。

翌日の午後（翌々日かもしれない）、早くも支援物資が届いた。市島町有機農業研究会からのおにぎり、水などだ。うれしい。みんなで感謝してわけあい、六甲小学校避難所にももっていった。この日も同じような雑用、近所の友人への物資の配達などをしたと思う。実は、センターの業務日誌に、○○さん来訪、○○さんより電話、△△の問いあわせありなどとたくさん書いている日もあるが、ほとんど空白の日もある。この日も空白だ。でもこの業務日誌は貴重なもので、このエッセイでも参考にしている。

おにぎりで考えたこと、それは必要度と「時間」の関係だ。ほんとうの初期のころ、おにぎり一個の価値が五だとすると、それが時間の経過にともなって四三二一と下がってくる。当日に届けられたおにぎり一個に五の価値があっても、一週間後に届けられるその価値が一までさがる、という感じだ。当たり前のことで、のちにおにぎりが残って、糸をひいて食べるのをためらうものもでてくる。逆に支援にはスピードが必要で、それがどれほど大切かも示している。

いろんなところから届けられる支援物資も増えてきた。水も来た。私たちは当時、世界中の水、ミネラルウオーターを飲んだと豪語?していた。こっちの水はあまいぞ、こっちの水はにがいぞ……。確かに硬水で、とてもじゃないが普通には飲めないのもあった。だいぶたってからだが、韓国の「辛ラーメン」が大量にきた。その大量さは、五〇個入りのダンボールが二〇〇箱という感じだった。ある避難所で、たくさん辛ラーメンがきて喜んで食べたが、辛すぎる、量が多すぎる、もういらないとなった。センターでいらないか、というのである。いる、すぐに届けてくれた。センターで避難中の韓国人留学生らが特によろこんだ。センターでよく食べ、箱ごと仲間の家に運んだりした。私は辛ラーメンがすきだ。たくさん、いただいた。

バスケットシューズもたくさん来た。スポーツメーカーが提供したのだと思う。バッシュ(いまでもこう言うのかな?)に詳しい友人に聞くと、有名メーカーのものだという。留学生らで分け、一段落してから一つ二千円で販売した。すぐに売りきれた。支援物資が支援金に変わったのだ。他にもいろんなものがきた。写真をとっておけばよかったが、ない。残念だ。

写真は、とれなかった。今のようにスマホがなかったことにも関係があるが、写真をとる気がしない、とれない、シャッターをおすのがはばかれるという状況もあった。先の六甲道近辺の牛乳瓶、年賀状も写真はとれなかった。センター内の写真も、今から思うと、とっておいたらよかったのにと思う。後日、センターでの留学生の避難生活の写真をほしいという新聞社があった。探したが、適当なのがない。あったのは餃子パーティで大鍋から分けている写真、それに中国人管理人が自宅（管理人室）で、家族と留学生二、三人がくつろいでいるものだけだった。それらはいまでも大事にとっている。

4　水よりも貴重なもの？

人間に一番大切なものはなにか？　一番というのが問題だが、やはり「水」ではないか。阪神淡路大震災のときもやはりそうだ。それなりの苦労があった。

センターの近くに山口組本部がある。いま、それがいくつかに分裂していてややこしいが、いまもそこにある。最近は彼らも大きな行事はやりにくくなっているだろうが、以前、ときどきあった。場所はセンターから西へ一キロほどの距離だが、行事のときには全国から立派な車がくる。なんでも敷地内に百台ほどの駐車場があり?、不足分はすぐ北の護国神社の大きな駐車場を利用する。それでも足りないようで、付近のガソリンスタンドにも駐車する。センターのある阪急六甲あたりでも、それらしい人がウロウロし、警察官もウロウロする。関連ネタにこんなのがある。実際にあった話として友人から聞いたものだ。その人は、黒塗りの立派な外車に乗っていた。運転ミスをして別の乗用車に接触した。謝ろうと外に出たら、接触された車がものすごい勢いで走り去ったというのである。このあたりでは、立派な黒塗りの外車は、その筋の関係者だと認識されているとのことだ。その人がその後、どうしたかは聞いていない。

山口組本部付近ではいまも「暴力団追放」の大きな看板があり（ほんとに大きい）、その追放活動として、ときどきパレードや集会が開かれる。一方、山口組には全国ネットワークがある。震災の翌日（当日？）には全国から支援物資が集まった。さきほど一番大切なものは水だと書いたが、実はもっと大切なものがある。それはポリタンクだ。そのポリタンクを全国から集めて、敷地内の井戸でそれに水を入れて（おそらく）、付近の住民に無償で配ったのだ。長蛇の列ができたと新聞報道があった。暴力団追放運動に熱心な地域の人もその列に並んだという。

センターの駐車場にも地震の日の夕方、給水車がきた。近所の人が集まった。持参したケースがほんとにいろいろで、鍋、釜、やかんの類である。ポリタンクを持ってきた人はほとんどいない。一升瓶、二リットルのペットボトルは上等の方で、五〇〇CCのペットボトルも多い。厚かましいひと?、いや本当に入れ物がなかった人は、洋服をいれるケースをもってきて、運ぶのに苦労していた。ポリタンクは、ほんとうに貴重品だったのである。山口組の長蛇の列も当たり前だし、追放派のリーダーがそこに並んだからといって非難されるべきではない。

センターの水道がでるようになったのは、二月四日、大感動だ。地震から二週間ほどたっていた。その間、○○に給水車がきたと情報がはいれば、急きょ避難中の留学生らとトイレ掃除をした。残していた水でトイレを掃除するのだ。当たり前だが、トイレの水が不足していた。小は流すのを省略、大は二、三回？に一回？流していた。給水車がくればトイレ掃除が始まるのだ。

当時センターに一升瓶が何本かあった。年末に某グループが大々的な忘年会を開いていたからか、また、二リットルのペットボトルもわりとあった。付近の友人を訪ねたとき、それらに水をいれて持参するととてもよろこばれた。ふたのない一升瓶が多かったが、なんとかした。私は、長峰山への登山道など、山に湧水がでるところをしっていたが、けっきょくそこまでいくことはなかった。神戸大学農学部近くの六甲川で、多くの人が洗濯していた光景も思いだす。

一月の終わりごろには公園に臨時の給水設備ができて、あわててのトイレ掃除はなくなった。その公園にときどき、ポリタンクをたくさんもって自動車で汲みにいった。センターには巨大な五○リットル？の、濃い肌色の米軍のポリタンクもあった。が、重すぎてもちあがらないのだ。最初だけ使っていた。

5　電子レンジと震災

水道が使えるようになると風呂に入りたくなる。ガスはまだだったが、センターは重油ボイラーで風呂を沸かしていたので、水さえくればガスが不通でも入浴可だ。風呂を沸かした。昼間は近所の住民に開放し、夜は留学生らセンターでの生活者が入った。

私は、二月五日、地震後はじめて風呂に入った。よくまあ二週間も我慢できたものだ。娘の仕入れてきた情報で、最も少量の水で温かいタオルを作る方法がある。電子レンジだ。ほんとに早い、うまくいった。そのタオルでときどき体をふくのだ。それには、その数年前、盲腸で入院したときの経験が役にたった。病院から三、四枚の温かいタオルが配られ、あと一枚「しも」用のタオルを自身で用意しなさいということだった。こうして一週間の入院生活を快適に過ごした。地震のときも快適？ だった。

が、その久しぶりのセンターの風呂、脱衣場に入って湯気を感じた瞬間、急に頭がかゆくなった。一秒二秒ががまんできないのだ。急いで服を脱いで、入浴したのであった。

四、五日して少し遠出した。近くで壊れた自転車をみつけた。捨てられていたのだ。ほんとだ。休んでいた自転車屋さんにもっていって、無理いってみてもらった。パンク修理だけで使えるようになった。三宮に出かけた。大きなビルが倒れている。交通センタービルもめちゃめちゃだ。きょろきょろしながら走っていたら、タクシーの運転手におこられた。いや、当時はみんなやさしかった。きょろきょろしていたら危ないよと注意された（ひどいこともあった。地震の日、六甲登山口で普通の倍以上の値段でミカンをうっている人がいた。彼にはぜったい罰があたっている？はずだ）。

三宮駅の北側にある、道路に倒れたビルが見たかった。テレビで、道路を完全にふさいだビルをだれかが？、穴をあけて車が通れるようにしたのである。そのビルにあいた、車一台だけが通れるというトンネルを見たかったのだ。が、私が行ったときにはすでにそのビルそのものが撤去されていた。残念だった。

そのあたりのホテルの興味深い？はなしがある。某新聞社の記者が、飛田さんこんなことがあるんですよ、と教えてくれた。屋上に飛行機があるファッションホテル、その日、東京へ出張のはずの男性とある女性が泊まっていた。そのふたりが犠牲になった。男性の奥様と女性の旦那様？が、遺体の引き取りを拒否して困っているという。新聞に書けるものではないし……。その後それがどうなったか、私は知らない。

三宮に初めていった翌日？、ラジオを聴いていると、ＰＨＤ協会の草地賢一さんらが、神戸ＮＧＯ協議会を母体として、「阪神大震災地元ＮＧＯ救援連絡会議」を結成したとのこと。神戸ＮＧＯ協議会は、ＹＭＣＡ、ＹＷＣＡ、ＰＨＤ協会、学生センターなどが作っているものだ。が、ラジオで初めてしった。でもいいのだ。地震のときは、なんでもありだった。もちろんその後その救援連絡会議に参加した。最初はＹＭＣＡで会議がもたれ、その後、毎日新聞ビルでもたれた。現在も活動している「ＮＧＯ神戸外国人救援ネット」はその外国人分科会から生まれたものである。救援ネットのことは、また別の「コロナ自粛エッセイ」に書かなければならない。

6　餃子パーティ、キムチチゲパーティ

水道ときたら次に「ガス」のことだ。がその前に、センターの電気はいつごろ回復したのだろうか？　先の業務日誌をみると地震の翌日一月一八日午後三時だ。パソコンの電源を入れた、故障していない、うれしい、のはずだがほとんどその記憶がない。先に書いたようにパソコンと外付けハードディスクが、キャスター台の上にあったので床に落ちることなく無事だったのだ。キャスターが動くことは偉大だ。地面にがっちりと根をはることがいいとは限らないという証左かもしれない？

三月六日、ガスが開通し、日常生活的にはぐっとよくなった。震災直後、ガスが回復するまで、みんなが欲しがったのは何か？　一位は携帯コンロだろう。当時、五千円ぐらいが相場だったと思う。なんたって温かい食事がうれしい。俳優の堀内正美さんがリーダーのボランティア団体が携帯コンロを五、六台、センターにくださった。ほんとうに助かった。

センターでの留学生らの避難生活でも、携帯コンロはとても重宝した。食堂兼交流室の会議室Ｄにそれはあった。中国人は、なにかあったら餃子パーティだ。焼き餃子ではない、水餃子だ。餃子大好き人間の私だが、おそらく一回に食べる分量は一五個程度。これでも多いが、中国人はもっと食べる（ような気がする）。皮も自分たちでつくり、どんどんと大鍋にほうりこんでいくのだ。新しい住居がみつかった、中国に避難していた家族が戻ってきたなどというと、いつも餃子パーティだ。韓国人は、キムチチゲパーティだ。センターのスタッフやセンターを拠点に活動していたボランティア団体のメンバーも、それらのパーティによく呼ばれた。

留学生には国別に(といっても、中国人と韓国人で、最初にフィリピン人が一名いただけ)リーダーがいた。そして、完全に自主運営をしていた。当時、二段ベッドの部屋八室（計一六名）、和室三室（三＋三＋一二、計一八名）を主に使用していたが、定員オーバーとなるとリーダーが、ひとりものの留学生に寝袋をもたせて大学にいくことを命令?したりしていた。

当時多くの支援金も送っていただき、物資もいただいたが、住居問題の解決がむずかしく大きな問題だった。留学生はアルバイトの関係で駅近くに住むことが多く、今回の地震はその駅近辺、線路沿いの被害が特に大きかったのだ。

京都、大阪の支援者から、「離れ」（わかるかな?、昔の家にはこれがあった）がある、一〇名以上ＯＫ、自宅が無人で五室あるなどの電話をいただいた。が、神戸大学の留学生には遠すぎるのだ。交通が遮断された状況でそこから通うことが無理だったのである。近くで三、四か月でもいいから、家賃なしで入れてくれる、そしてうまくいけばその後有料でそこに下宿できるようなところが理想だった。

某テレビ局と一計をはかった。やらせ?である。近くの(徒歩でいける)センターの支援者が住居の提供を申し出てくれたということで、ある留学生がその家にいった。カメラマンも同行だ。そこでやさしくしてくれてくつろぐ、そんな映像だった。それはウソではなかったのだが、二、三日して彼女はセンターにもどってきた。理由を聞いた。よくしてくださって不満はないのだが、同国の留学生といっしょにいたいというのである。震災という非常時だからこそ、母国語で気兼ねなく話ができる、そんな環境が必要だったようだ。

当時、カナダ?の留学生から、神戸が怖いので友人のいる東京へ行く、◯◯日午後、△△マンション□□号室を開けておくので、家具等を他の留学生に分けてほしいと連絡があった。また日本に二名しかいない国の留学生が、もうひとりのいる東京に行くということもあった。国名は忘れた。やはりほんとうにつらい時には、同国の仲間といっしょにいたいのだ。

小学校からセンターに避難してきた中国人留学生家族の話もあった。避難所でみんな親切にしてくれたが、日本語の分からない中国人にはつらいことがあったという。◯◯時に△△で弁当を配りますというアナウンスが分からないのだ。日本語のできる留学生の夫は、昼間は大学に行っていていない、とても不安だったとのことだ。センターにきて、中国人たちといっぱい中国語で話し、よろこんでいた。震災の時期、留学生は、卒論、修論提出、大学院入試など、大学ですべきことが多くあったのだ。

７　古本市のスタート

朝日テレビのニュースステーションをみていたとき、被災地の外国人支援をとりあげていた。久米宏の番組だ。その最後に、学生センターの募金先の口座番号がテロップで流れた。びっくりした。

センターでは二月一日から全壊半壊の罹災証明を持参した留学生に生活一時金三万円を支給した。返済不要の一時金だ。当時携帯コンロを買いたかったという話は書いたが、センターに避難してきた留学生が、こういったのだ。「飛田さん、日本人学生が金持ちだとはいいませんが、アジアからの留学生はその携帯コンロもちょっと、買うのを考えるのですよ」

で、生活一時金支給が決まった。罹災証明書を持参し学生証をみせたらその場で支給した。その金額が三万円とテレビでも紹介された。その後の募金で、個人おひとりから三万円というのが多かった。ひとり分を募金しようと思ったのだろう。なかには個人で三〇万円というのがあった。一〇人分送ろうと考えたのだろう。それはたまたま「飛田」さんだった。私の親戚ではない。ひださんか、とびたさんか分からない。ありがたいことだった。

あるとき興信所がやってきた。某企業がセンターに募金を考えていますとのこと。調査に応じた。が、実は、それまでに同じようなことが複数回あった。調査のあと結局募金がこず、興信所にいい印象がなかった。が、そのときはちがった。後日、その会社の秘書から電話があった、○○日に社長がセンターを訪問して寄付したいとのこと。うれしい。が、忙しい時期でもあったので、オンライン送金してくれたらいいのになどと思ってしまった。秘書はそのあと、「一千万円です」。私もおもわず電話口で、一千万円、と言ってしまった。同じ部屋にいたボランティアたちが、ええ一千万円……。あまりお金のことを書くとよくないが、ただ書いてみたいのだ。

その会社は、日本DEC、日本ディジタル・イクイップメント、コンピュータ会社で、アジア全域で仕事をしているという。被災地を調査すると貴センターがよく外国人支援をしている、震災後大阪のホテルに社員を住まわせての仕事が一段落ついたので寄付することとしたとのこと。センターで贈呈式をした。その会社は、このことをマスコミ発表することもなく、社内報でそのことを報告しただけだった。日本DECはその後、大きなコンピュータ会社に吸収されたと聞いている。

お金の話が長くなって恐縮だが、まだ続きがある。一連の留学生支援活動が終わったとき、一三○○万円が残った。その一千万円と留学生支援金の残り三○○万円だ。そこから六甲奨学基金が始まった。実は日本DECが募金をくれたころ、すでにセンターの生活一時金の支給も終了していた。そのお金はセンターが何に使ってもらってもOKとのことだった。そこで奨学金となった。

この一三〇〇万円を毎年一〇〇万円使おう。そして一方で毎年二〇〇万円を集める。あわせて毎年三〇〇万円、それでアジアからの留学生五名に月額五万円を支給する。が、毎年二〇〇万円の募金が、うまくいかなかった。震災後、まだ支援の雰囲気があるときは集まったが、それが続かない。このままでは一三年はもたない。そうして、始まったのが古本市だ。第一回目の一九九八年、みんなの予想を超えて七〇万円も売れた。これは行ける。そして現在まで古本市は繁盛し、奨学金も一三年を越えて続いている。おそらく古本市がなければ一〇年をまたずに奨学金は終わっていただろう。この古本市、二カ月で三〇〇万円以上売れるというので有名だ。二〇一一年の東日本大震災のときは、被災地の留学生支援に一〇〇万円寄付すると宣言してがんばり、初めて四四〇万円を売り上げた。この古本市はおもしろい。が、これを書き出すとこのエッセイは終われないので、またコロナエッセイの続編としたい。

8　湊川と北野町

その年の夏ごろ?、神戸市内もそれなりにおちついてきた。会議があって長田に出かけた。交通がまだ不便だったの、でオートバイでいった。愛知の国際交流団体が支援物資として届けてくれたものだ。それは最初神戸市に寄付を打診したが、二、三〇台では少なすぎると断られて、学生センターにまわってきたものだ。その一台を使っていた。

久しぶりに会うメンバーもいて、会議のあとビールも飲んだ。そして帰路についた。湊川で検問にひっかかった。それまで無法地帯?だったのに……。仕方ない。そして例の風船（アルコール検知器です）を吹くと、でない。警官は、検出されません、お酒を飲んでいるようですからさましてから帰ってください、という。そのとおりした。湊川公園で一時間?ほど休んでから、またオートバイに乗った。

それがいけなかった。北野町（神戸異人館）で、また検問にひっかかった。今度はアルコールが検出された。きっちり反則切符を切られた。しかたがない。悪いのは私だ。

飲酒後はすぐにアルコールが検出されないらしい。アルコール分が体内にめぐるのにそれなりの時間が必要なようだ。だから、湊川では検出されなかったが、北野町で検出されたのだ。湊川での警官の指示をまもらずに即帰っていれば、まだアルコールが十分体内をめぐることなく、北野町でも検出されなかったかもしれない。残念だ。

後日、交通裁判所に出頭した。Aさんにあった。地震後、ボランティアとして神戸にかけつけ、現在もこの地で活動している友人だ。おたがいにここで会ったことは内緒にしておこう、と約束した。私はその約束を、いまも守っている。

第3話 「コリア・コリアンをめぐる市民運動」の記録

1 丁勲相さん、任錫均さん

べ平連青年の私は、一九七〇年前後に在日朝鮮人問題に出あう。

神戸には、当時、出入国管理（入管）事務所があり、ときどきデモに行った。一九六九年、入管法改訂案が国会に上程されており、その反対運動のためだ。同じく国会に上程されていた大学管理法案が廃案になったおかげで?、その改訂入管法も成立しなかった。在日外国人をことごとく管理するひどい法律で、べ平連神戸でもその勉強会も開いた。講師は、当時京都大学の飯沼二郎さん、いっしょに神戸入管にデモもした。入管事務所近くの日本キリスト教団神戸教会が、その「拠点」を提供してくださった。クリスチャンの飯沼二郎さんのコネ?もあったのかもしれない。

この神戸教会、私の祖父・鈴木浩二が戦前戦後に牧師をしていた教会だ。祖父は私が小学校二、三年のころ亡くなったが、一九四一年六月、国策により日本のプロテスタント教会が合同して日本基督教団となったときの総務局長（ナンバー2）だった。「戦時下抵抗の記録」の本には、抵抗しなかったキリスト者の代表としてでてくる。教団成立後、伊勢神宮にトップの富田満統理と参拝したことが知られている。

神戸入管には当時有名な韓国人が収監されていた。ひとりは、丁勲相（チョンフンサン）、韓国軍隊から逃れ、朝鮮民主主義人民共和国（北朝鮮）への亡命を求めて密航してきたのだ。弁護団、支援者の支援により、北朝鮮への亡命を果たした。私は何回か神戸地裁での裁判を傍聴した。その中で一度、公判後に裁判所の中庭で丁勲相が演説をしたのを聞いた。力強いものだった。今の強圧的な裁判所の態度からは考えられない。

もう一人は、任錫均（イムソッキュンと朝鮮語読みすべきだが当時はみんなニンシャクキンといっていた）だ。同じく密入国の罪に問われていた。飯沼さんが支援の中心メンバーとして動いていた。その後仮放免され、各地で在日朝鮮人問題をテーマとする講演会で講演もしていた。話は上手だった。が、女性問題？などで支持を失い、姿を見せなくなった。そのあと、どこへ行ったのだろう……。

2　むくげの会、スタートする

べ平連神戸は一方で「差別問題」にも取り組んでいた。当時兵庫県下の高校で部落出身生徒、在日朝鮮人らによって「一斉糾弾」の闘いが進められていた。それはべ平連神戸のメンバーにも大きな影響をあたえた。一九七〇年五月、べ平連神戸内にフラクション（なつかしい言葉だ！）として「差別・抑圧研究会」がつくられ、私も参加した。今から考えれば、すごい?名前だ。そこで、さまざまな差別問題について勉強した。年末に、話しあいがもたれた。日本には多くの差別がある、どれも大きな問題だ、片手間でできることではない、研究会として在日朝鮮人問題にしぼって勉強しようということで、翌一九七一年一月、「むくげの会」が作られた。一〇名から一五名程度の会で、週二回勉強会をもった。今から考えるとすごい頻度だ。朝鮮の言葉、歴史の勉強会だった。むくげの会は現在も九名のメンバーで続いている。五〇年近くになる。通信も三〇一号（二〇二〇年五月）まで発行されている。

いまから思えば、当初は「義務（ねばならぬ）的」だった。朝鮮を好きにならねば、朝鮮語を尊敬?しなくてはなどなど。逆にいうと偏見の裏返しだったが、それなりに熱心に勉強した。やがて、朝鮮語も歴史も、それ自体に興味がわくと、義務感はなくなり、現在にいたっている。流れがでてきた、あるいは、「惰性」がエネルギーをあたえているのかもしれない。

3　孫振斗さんと伊藤ルイさん

むくげの会がスタートする前後に私が関わったのが、孫振斗さんの裁判だ。朝鮮語読みではソンチンドゥだが、最初に支援グループで「そんしんとう」と日本語読みをしていた。最初にそう読むと、最後までその読み方のままとなった。これも時代の産物？といえるかもしれない。先に書いた丁勲相も今は朝鮮語読みするが、当時は日本語読みだったような気がする。

孫さんは一九七〇年一二月、佐賀県唐津に密入国した。彼は、一九四五年八月六日、広島市観音町で被爆した。一九五一年には、外国人登録をしていなかったことを理由に韓国に強制送還された。なんだそれは？とつっこみどころがたくさんあるが、それは省略して先にすすむ。釜山で暮らしていた彼は日本への密入国を二、三回試みたが、発見されその都度強制送還された。が、一九七〇年のときは強制送還されるまえに新聞社が知ることとなった。私は被爆者だ、体調が悪い、日本政府の責任で治療してほしいと訴えた。そのことが大きく報道されたのだ。

福岡、広島、大阪、東京、仙台に支援グループができた。私は大阪グループのメンバーとして活動した。福岡グループには伊藤ルイ（大杉栄・伊藤野枝の娘）さん、広島には後に広島市長となる平岡敬さん、東京には中島竜美さん、田中宏さんらがいた。福岡地方裁判所には裁判のたびに出かけた。支援団体の交通費支給が半額だったので、ときどき「キセル乗車」をしてしのいだ。のちに東京での裁判にも加わったが、キセル乗車への思い出はいろいろある。もう時効なのでその方法を書いてもいいかと思うが、近年は自動改札になりその方法が使えないので、いまや書く意味がないかも……。

キセル乗車の意味が分からない若い読者もいるかもしれないので説明する。キセルは日本式のパイプ、明治の最初ころまで?使われていた（おっと、連れ合いの父親は戦後も使用とのこと）。竹製だが両端だけ金属だ。そのように、電車の切符を全行程買うのではなく、最初と最後だけ買うことをキセル乗車というのだ。「さつまのかみただのり」と、訳のわからないことも言っていた。

孫さんの被爆者手帳を求める裁判は福岡地裁で勝ち、最高裁でも勝った。原爆手帳交付には親族以外の二名の証言があればＯＫで、居住地、密入国は関係がないというものだった。完全勝訴だ。その後私は、強制送還裁判などに関わるが、私の関係した裁判で勝訴はこの一件だけだ。孫さん勝訴の影響は大きく、その後の在韓被爆者救援運動を推進する力となった。

福岡での裁判のとき、伊藤ルイさんの工房を訪ねたことがある。伊藤さんの仕事は博多人形の絵付けだ。そこで筆を一本いただいた。最初に人形の顔を白く塗る大きな筆で、弾力のあるいたち?の毛だ。毛が長く、腰が強く、毛の部分を曲げるとピンと跳ね返る。集会の看板書きに長い間使っていたが、傷んでしまって、あるとき捨てた。残念なことをした。

4 「AB論争」

孫さんの裁判の次にかかわったのが在日韓国人・申京煥さんの裁判だ。申さんは、最初からシンギョンファンと朝鮮語読みだった。申さんは私の二歳上、高校卒業後に仲間と強盗事件を犯し、懲役八年、そして刑務所で模範囚としてすごし、一九七三年九月、岩国少年刑務所をでた。しかし、宝塚の自宅にはもどれず、韓国への強制送還のために長崎の大村収容所に送られた。韓国に行ったこともなく朝鮮語を話せない彼に、退去強制令書が出されたのだ。

日本に暮らす外国人は、入管法により一年を越える懲役刑を受けると強制送還されることになっている。しかし、一九六五年の日韓条約にともなう法的地位協定によって、協定永住を取得した韓国人は、七年を越える懲役刑のときに強制送還されるとされた。申さんの懲役は八年で、その最初の事例となり、特に注目されたのである。

宝塚の家族にその連絡が入り、近所のキリスト教関係者が支援することになった。私も入管問題の専門家?として事務局会議に参加したが、そのまま?事務局長となった。会議は宝塚福井教会で開かれ、その教会の川端諭牧師が「申京煥君を支える会」の代表となった。

この事件、申さんが強盗事件を起こしたのが一九六七年、当時未成年だった。懲役八年の判決を受けたが、仲間の日本人との量刑に差別があるのではないかなど問題が指摘されている。

高校卒業のとき、申さんだけが就職が決まらず親戚の土木の会社で働いていたなど、当時の厳しい就職差別の状況などもあった。

一九七四年に提訴された裁判は、退去強制令書の無効を求めるもので、主任弁護人は日立朴鐘碩就職差別裁判の中平健吉弁護士、裁判所は東京地方裁判所だった。この東京行きでは、福岡行き以上にキセルの技術が上がった？

裁判は、一九七八年、裁判取り下げを条件に申さんに在留特別許可がおろされることになり終結した。申さんは今も日本に暮らしている。

この運動は、最終段階に支援グループのなかで、韓国民主化運動にこの運動を結び付けようとするグループとの葛藤があった。私は、それも大切だが申さんの在留が第一の目標だとする立場だった。「AB論争」と言われたが、どちらがAでどちらがBだったか、忘れた。

私が会議でつるしあげられたこともあった。有吉克彦さん（アジア人権センター）らとなんとかそのグループをおさえつけ、宝塚以外の支援グループの活動を「凍結」するという文書をつくり、それを承認させた。

私には、いろんなところで、この種の政治的主張との軋轢、葛藤はけっこうあった。それが運動自体を消耗させるのだ。あす三里塚に結集しないのは反革命だと糾弾されたこともある。オルグから逃げると、朝四時に会おうとか言ってきてなかなか逃げられない。仕方なく会うことになる。そこで編み出したのが、「全体状況論」を主張するグループ／セクトに対して、「個別状況論」で対抗するのだ。

孫振斗事件は……、中京煥事件は……、と説明して、重要な案件であることを相手に認めさせる。そして、そのグループ／セクトがそれに取り組んでいるかと問う、取り組んでないと回答がある、私はだれかが取り組まなければならないでしょうと言う、重要な案件に私たちが取り組んでいて、あなた方が取り組めていないのだから、ほっといてください、という結論にみちびく。それで終わった。私はけっこうこんなことに慣れたからよかったが、このような論争に消耗して運動をやめたり、そのセクトに入って、あとで消耗してやめたりした人も多くいるのである。

5　民闘連「補償・人権法」

中京煥裁判と日立就職裁判は同時並行的でもあった。私が日立裁判支援の集会でアピールすることもあったし、その逆もあった。日立裁判は勝訴し、その運動は「民族差別と闘う連絡協議会（民闘連）」につながっていった。兵庫でもその活動があり、一八七五年五月九日〜一〇日、兵庫民闘連の尼崎市との徹夜団交があった。当時は、公営住宅入居にさえ国籍条項があった時代だが、それらの差別を撤回させたのである。私は、そのときどこでなにをしていたのか分からないが、その団交に参加できなかった。今でも残念に思っている。

その民闘連で差別を禁止する法律をつくろうということになった。私もその委員会のメンバーとなり、学生センターでも何回か合宿をした。その後、日本弁護士連合会など多くの団体が差別禁止の法律案を提案したが、その先駆けだったたと思う。民闘連の議論のなかで、在日朝鮮人が日本人と平等な権利を要求する根拠は何か、が問題となった。それは歴史だ、戦後補償だ、不当な植民地支配ゆえに存在することとなった在日朝鮮人には、戦後補償と人権保障がセットでなければならないという結論がでた。略称も「補償・人権法」となった。

全国民闘連は一九九〇年一一月二三日～二五日、神戸での大会で、問題が生じた。記念講演講師の大沼保昭さん（東大教授）が突然欠席したのだ。連休の時期で民闘連側が彼の新幹線グリーン指定席を確保できなかった。やむなく事務局員が早い時間に東京駅に行き、自由席を確保して乗っていただくことにしたのだが、それがだめだったようだ。民闘連側の不誠実な態度だ、運動体の甘えだとして、欠席された。私はそんな程度のことで怒らないでほしいと思うのだが……。民闘連はその大会での大沼さんの発言を契機に、いくつかのグループに分裂することになる。

6　指紋押捺拒否

その民闘連の流れもうけて、一九八〇年代に指紋押捺拒否の運動が盛んになった。この運動が広がった理由はいろいろあるが、そのいちばんは、ひとりの拒否者がでればそこで運動が始まった、ということだと思う。全国各地で多くの拒否者があらわれ、多くの支援グループがでてきた。兵庫では、中京煥さん支援グループのメンバーでもあった林弘城さん、金成日さん、梁泰昊さんが拒否をした。その都度?、支援の会がつくられたが、件数が増えたので?「兵庫指紋拒否を共に闘う連絡会（兵指共）」ができた。代表は当時社会党の国会議員で学生センターの理事長でもあった河上民雄さん、私が事務局長だった。林弘城さんは裁判をパスして罰金を払い、金成日さんは罰金のうち一九一〇円分（韓国併合が一九一〇年）の支払いを拒否、梁泰昊さんは正式裁判の被告となった。

しかし、昭和天皇の死亡にともなう恩赦により、金成日さんの一九一〇円は免除（本人はその一日分だけ収監されるつもりだった）、梁泰昊さんは「免訴」となった。

この運動は、日本国内に燎原の火（だいぶなつかしい言葉だ）のように支援の輪が広がり、日本社会に大きな影響をあたえた。運動によって日本の悪法の一部を変えさせたのだ。指紋押捺義務がだいたい?なくなったのだ。日本の民衆運動史上、運動によって法律を変えたのは、この運動以外にないと思う。

もうひとつ、私が大きな成果だと思うのは、指紋押捺裁判に多くの弁護士が参加し、その弁護士が、その後、外国人を支援することになったことだ。

７ スリランカ人留学生・ゴドウィンさん

次に私がかかわった裁判が、「ゴドウィン裁判」だ。かかわったというより、指紋押捺裁判の副産物？だ。ゴドウィンさんはスリランカからの留学生で、神戸ＹＷＣＡの日本語学校で学んでいた。本当の名前は、GODWIN CHRISTOPHER RAJH DAVID。スリランカでは名前に両親の名前が入るという。もうしわけないが、どれがその名前か、忘れてしまった。

住んでいたのは神戸市灘区。下宿でクモ膜下出血に倒れたが、友人が発見してくれた。海星病院に運ばれ、緊急手術が必要と判断され神戸大学付属病院に移送された。手術は成功した。命が助かったのだから、これでいいのだ（そのはずだ）。が、治療費一六〇万円が問題となった。本人に支払い能力がない。友人が八方手をつくして、灘区福祉事務所で生活保護を申請し、受理された。そして生活保護費からそのお金が支払われた。

これでいいはずだ。が、当時の厚生省が待ったをかけた。生活保護は永住者・定住者を対象にしているもので、留学生らを対象としていない、神戸市の生活保護適用は不当だというのである。実はこれはウソ、それまで留学生らに生活保護が適用されることもあり、緊急入院し集中治療室に入っているフィリピンのエンターテイナーらにも適用されていたのである。

外国人への生活保護適用に関する唯一の通達は、一九五四年のものだ。そこには強制送還を待つ?仮放免の人にも適用されるとある。まずは大使館に費用の支払いについて相談すべきとなっているが、韓国人、台湾人についてはその必要はない、緊急治療の場合は不法滞在でも適用していいなどと書かれている。

おそらくその時期、一九九〇年ごろに、日本政府が労働力不足解消のため、日系のブラジル人、ペルー人らの入国を認めたことに関係している。治療のために来日する外国人の入国を防ぐため?、生活保護の適用範囲を制限しようとしたのだ。それも法改訂、通達改訂なしに「口頭通知」(一九九〇年一〇月二五日)で行った。その路線変更により、ゴドウィンさんへの生活保護適用が問題になったのだ。全国各地で外国人労働者問題に取り組むグループの間で大きな話題となった。先のエンターテイナーなど、保険未加入などの場合は、生活保護により治療を行っていたのだ。

このゴドウィンさんのケースをそのままみすごすことはできない、裁判が必要だということになった。そして、それまで指紋押捺裁判などでお世話になっていた、兵庫、大阪、京都の弁護士から、「飛田さん裁判をおこして」と依頼されたのだ。ゴドウィンさんの治療費一六〇万円は、一対三で地方自治体と国が負担する。神戸市が四〇万円、国が一二〇万円だ。国は神戸市にその一二〇万円分を支払わないと言ってきたのだ。そこで、弁護士曰く、この不正義を正すためには神戸市に市民税を払っている人が、国に対して裁判を起こすしかない、国にこの一二〇万を神戸市に払わせるのだ、とのこと。裁判をすることになった。結果は残念ながら敗訴だった。神戸地裁では、判決文の付録に、国がこのような人を救済すべきであるとあったが、そのあと、大阪高裁、最高裁（一九九七年六月一三日）でもだめだった。国が支払うべきその一二〇万円は、いまだ神戸市が払ったままになっている。その中に私の市民税もだいぶ？投入されている。

ゴドウィン裁判のことは、別のコロナ自粛エッセイで書くつもりだったが、筆が、キーボードが、走ってしまった。

8 神戸電鉄、神戸港と朝鮮人労働者

本冊子、「コリア・コリアンをめぐる市民運動の記録」としては、歴史調査活動について書いておかなければならない。

兵庫は在日朝鮮人とのかかわりが深いところだ。長田のケミカルシューズだけではない。兵庫では、兵庫朝鮮関係研究会（兵朝研）、むくげの会などが兵庫における在日朝鮮人の歴史について研究を進めていた。二〇〇一年四月、明石書店から、この兵朝研、むくげの会、それに兵庫県在日外国人教育研究協議会（県外教）が編集して、『兵庫のなかの朝鮮（歩いて知る朝鮮と日本の歴史シリーズ）』を出版した。全国でこのシリーズは何冊か出されているが、テーマのひろがり、執筆陣の多さが評価されている。

最近フィールドワークが重視されているが、二〇〇一年一一月に、神戸学生青年センターの朝鮮史セミナーとして、「久谷八幡神社「招魂碑」建立90周年 山陰線工事朝鮮人労働者の足跡を訪ねるフィールドワーク」を実施した。古代史からアジア・太平洋戦争時期の朝鮮人強制連行までがテーマであった。案内は、古代がむくげの会の寺岡洋さん、近現代が兵朝研の金慶海さん、徐根植さんだった。

兵庫でテーマをしぼって共同で取りくんだものに、①神戸電鉄敷設工事と朝鮮人、②神戸港の強制連行がある。

神戸電鉄関連は、金慶海さんの新聞調査をきっかけに始まっている。神戸電鉄は、一九二八年一一月に湊川・三田間、一九三六年一二月に鈴蘭台・広野ゴルフ場間、一九三八年一月三木線全線が開通した。この工事の過程で朝鮮人が死亡する事故が起こっている。金慶海さんはことさら朝鮮人の事故の記事だけを探したものではないが、犠牲者はすべて朝鮮人だったのである。

一九九二年七月には、「神戸電鉄敷設工事朝鮮人犠牲者を調査し追悼する会」（代表・落合重信、その後徳富幹夫、現在は徐根植）が作られた。九四年年八月には、韓国在住の遺族を招いて追悼会も開かれた。神戸電鉄はそれまで朝鮮人犠牲者は別の会社のことで関係ないとしていたが、一三名の犠牲者の名前を神戸電鉄の菩提寺・興隆寺の過去帳に書き、ともに弔うことになった。九六年一〇月には、兵庫区会下山公園の近くに「神戸電鉄朝鮮人労働者の像」が作られた。像は金城実さん製作によるもので、台座の背面に犠牲となった一三名の名が刻まれている。いまも毎年一〇月の第三日曜日に現地で追悼会が開かれている。追悼会ののち事故現場のひとつである烏原貯水池公園で焼肉の会を開く。肉は代表の徐根植さん（ホルモン杉山）が準備する。とても好評だ。

金城実さんの沖縄読谷のアトリエに今もその像がある。過日、再会した。ブロンズ像は像を分解して作るとブロンズの型が小さくてよく費用が安くつく。しかし、像を残すとなると大きな型が必要となり高くなる。金城さんは残してほしいという。追悼する会は金城さんの希望を受け入れた。だから、いまでも沖縄読谷の金城さんのアトリエで、ほんものを見ることができるのである。募金がちゃんと集まって、よかった。

敷設工事での最大の事故は、一九三六年一一月二五日の藍那トンネル事故で、六名が犠牲となった。親子で犠牲となった朝鮮人もいる。先の興隆寺での追悼集会には、その遺族も参列された。また当時小学生で事故を目撃した、鈴蘭台駅前で朝鮮人の葬列をみたという証言も得た。

神戸港関連では、一九九八年一〇月、「神戸港における戦時下朝鮮人・中国人強制連行を調査する会」（代表・安井三吉）が結成された。そのきっかけは、神戸・南京をむすぶ会（現在の代表・宮内陽子）が大阪における中国人強制連行をテーマに勉強会（講師・櫻井秀一、一九九八年三月）を開いたときの、櫻井さんの「神戸港にも中国人強制連行があったのですよ、その外務省報告書ものこっていますよ」という発言だった。調査する会は、韓国・朝鮮人、中国人、日本人が共同でおこなった。薄い本（中学校の副読本）と分厚い本（調査報告書）の出版を目標にしていたが、二〇〇四年一月と二月、明石書店とみずのわ出版より出した。シンガポールで捕まり神戸に移送されたオーストラリア兵・ジョン・レインさんの本『夏は再びやってくる―戦時下神戸・元オーストラリア兵捕虜の手記』（神戸学生青年センター出版部、二〇〇四年三月）も出版した。

実は、当初朝鮮人中国人だけを調査する予定だった。が、「よこしま」な考えで、日本社会に広く訴えるために連合国軍捕虜も調査することにしたのだ。朝鮮人・中国人だけより、調査対象に連合国軍捕虜を入れた方が日本社会で受けがいいだろうと考えたのだ。実際は、朝鮮人、中国人、連合国軍捕虜はそれぞれに大変な生活をしており、それぞれに軽重はない。

二〇〇八年七月には、南京町の南、ＫＣＣビル（華僑歴史博物館が二階にある）前に「神戸港　平和の碑」が建立された。この三者をあわせて祈念している石碑は全国的にも珍しいとされている。日本語、英語、朝鮮語、中国語でアジア・太平洋戦争下の神戸でのできごとが書かれている。毎年、四月にその碑の前での追悼集会とＫＣＣビル会議室での勉強会が開かれている。追悼集会を建立した七月ではなくて四月に開くのは、単に七月が暑いからという理由からだ。

9　強制連行全国交流集会

私は、強制連行調査の全国的な動きにも関係している。神戸学生青年センターがその拠点のようになっている。一九九〇年から「朝鮮人・中国人強制連行・強制労働を考える全国交流集会」が、一九九九年まで一〇回、開催された。この交流集会、当初は通称「トンネル会議」と言われたが、強制連行関連の地下工場「オタッキー」（この言葉は生きている？）が交流しようと開かれた。①愛知県（名古屋市、一九九〇年）、②兵庫県（西宮市、神戸市、九一年）、③広島県（呉市、九二年）、④奈良県（信貴山王蔵院、九三年）、⑤長野県（長野市松代町、九四年）、⑥大阪府（高槻市、九五年）、⑦岐阜県（岐阜市、九六年）、⑧島根県（松江市、九七年）、⑨石川県（金沢市、九八年）、⑩九州（熊本市、九九年）、計一〇回だ。

ところが最後のほうで問題が生じた。この交流集会は各地方持ちまわりで開催することになっているが、それなりのエネルギーを使う。鄭鴻永さん（『歌劇の街のもうひとつの歴史—宝塚と朝鮮人』著者）と私が、「来年、そちらで開催できませんか？」と打診／承諾してもらって開催を継続してきた。第八回の松江集会もそのように実現した。が、その松江実行委員会にクレームをつけたのが、唯一開催を承諾しなかった地域の代表だった。そのクレームは、北海道をアイヌモシリといわないのはだめ、沖縄を日本の植民地と考えないのはだめ、「全国」交流集会の全国という言葉使いにはアジア的視点がない、などというものであった。このような考えでないとダメだというのは、ダメだ。強制連行調査を共通項として交流することが大切なのだ。それを私たち幹部?が現地入りする前夜の地元実行委員会の席で展開したのだ。鄭鴻永さんと私は、唯一開催を断った人たちが、引き受けた人々を糾弾?したことに、大いに憤慨した。

その交流集会、全国各地の世話人会が主催するものだったが、断ったその人も世話人のひとりだった。もはやこんなことがあっては集会を継続できないと、翌々一九九九年の第一〇回態本集会をもって交流集会を閉じた。ある人は、「飛田が世話人会を「偽装倒産」して消滅させた」といったそうだ。うまいことを言う。労働組合の活動に抵抗して経営者が会社を偽装倒産することがあるが、それになぞったようだ。

それ以降、世話人会主催ではなくて、各地の強制連行調査グループが主催する形で実質的に交流集会が開かれた。その後、韓国での政府機関として作られた「日帝強占下強制動員被害真相究明委員会」の活動に「呼応」して(連帯するという意味でよく使っていた、いまや死語か?)、二〇〇五年七月、日本で「強制動員真相究明ネットワーク」が作られた。本来は、韓国で政府機関として委員会ができたのだから、日本政府が同様の委員会を作るべきだが、それが望めなかったからである。いちおう要望はしたが……。私も共同代表のひとりとなっている。このネットワークのことはまたそれで、コロナ自粛エッセイの別冊になるかもしれない。

10　「三密」を避けて

以上ながながと書いてきた。後半はだいぶ息切れしているみたいなので、このあたりで終えることにする。コロナはなかなか収まりそうにないので、このエッセイシリーズがどんどん？続くかもしれない。私の原点ともいうべきむくげの会は、一九七一年一月スタートなのでもうすぐ五〇年を迎える。すでに書いたように、今年（二〇二〇年）六月開催予定の通信三〇〇号（二〇二〇年三月）記念パーティはコロナ騒ぎで延期となってしまった。どうせ「三密」パーティになることがわかっているので延期は仕方がない。いっそのこと、来年（二〇二一年）一月、むくげの会五〇周年とあわせて開くという予想がなされているが、それもどうなるかわからない。ゆえに？、まだコロナ自粛エッセイの方が続くことになるかもしれない。

第4話　南京への旅・ツアコンの記

1　パスポートを忘れた！

関空にメンバーが集まった。これからの旅への期待とともに、緊張した雰囲気もただよっている。自己紹介、団長のあいさつ、オリエンテーションなどなど。それなりに打ち解けてくる。そのとき、ツアコンは気づいた。自分のパスポートがない。忘れてきたのだ。今から、家に取りに帰るわけにもいかない。連れ合いにタクシーで持ってきてもらうとしても間に合いそうにない。どうしよう、万事休す、ああ。

汗をいっぱいかいて、眼がさめた。夢だ。旅の最初のころ、複数回、こんな夢をみた。

2 「神戸・南京をむすぶ会」

神戸・南京、だいぶ遠いし、どんな関係があるんだ?

この会は「神戸・南京をむすぶ会」(以降、むすぶ会)。中国名は「神戸南京心連心会」、林美智子さんの命名だ。スタートは一九九七年二月のことだ。

一九九五年、阪神淡路大震災の年の秋、林伯耀さんと松岡環さんが訪ねてこられた。神戸で、ニューヨークの中国人画家の描いた南京大虐殺の絵の展覧会ができないだろうかという相談だった。私は、もともとはコリア派、それまで中国にあまり縁がなかった。でも、やることになった。

中国人画家の絵もよかったが、丸木位里・俊夫妻の「南京大虐殺の図」もいっしょに展示することになった。幅八メートル、高さ四メートル、学生センターでの展示は無理だ(当たり前か)。会場は、神戸市立王子ギャラリーに決まった。

実行委員会ができた。委員長は山口一郎さん、副委員長は、林同春さんと佐治孝典さん。私は事務局長だった。中国人画家の絵もけっこう大きなもので、天井の高い王子ギャラリーでも見栄えのする立派な展覧会となった。このギャラリー、現在は神戸文学館、建築時は関西学院大学のチャペルだった。

最初から脱線するが、神戸文学館の館長には歴代、神戸新聞のＯＢがなる。知り合いが館長のときによく行った。話のなかで竹中郁さんの話になった。神戸では有名な（失礼しました）詩人だ。連れ合いが、竹中郁が自画像を描いたぐい飲みを持っているという話になった。文学館にほしいとのことでさしあげた。連れ合いが一九七〇年代、神戸市民同友会主催で河上民雄、竹中郁、君本昌久三名の何かの記念会で受付を手伝っていて、乾杯用？の一合升に描いてもらったという。一時、文学館にその由来とともに展示されていた。いまも、あるかな？

3　初めての南京

南京展覧会は私の企画するイベントとしては規模が大きいもので、費用もかかった。そこは、副委員長の林同春さん、実業人だ。「飛田君、〇〇銀行の△△さんにお願いしているから広告をもらってきて」という。行った。ＯＫだった。一銀行五〇万円だったように記憶する。びっくりしたが、よかった。

展覧会は、成功裏に終わった。運営のために集まったボランティアは、高校生も含めて一〇〇名。二〇～三〇名ほどで打ち上げ会をした。その会が盛り上がった。そして、現地南京に行くことになった。

林同春さんは、二回、南京ツアーに参加されたが、一度はお孫さんといっしょだった。飛田が提案した「中国人被害者支援基金（仮称）」のアイデアに感心してくれたこともある。そのアイデア、日本で一〇〇〇万円の基金を集める、それを中国の銀行に預けて利息分を被害者に支給する。二〇年後?、日本で基金を拠出した人にその時のレートによって返金する。中国が発展して元本が増えていたらそれでいいし、減っていたら仕方なしとする。林さんは「いいね。飛田君、お金のこともわかるのね」と賛同してくれた。が、その後、中国の五~八%という利息が普通の利息になり、中国で預金するメリットがなくなり、基金構想は幻に終わった。私もたくさん出資する予定だったのに……。

この絵画展ボランティアの南京訪問団として、「神戸・南京をむすぶ会」が作られた。展覧会は一九九六年のゴールデンウイークの時期、会の結成は翌年（一九九七年）の二月だ。そしてその夏に訪問することが決まった。一度だけの南京訪問のためだけの会のはずだったが、その旅は最初から面白かった。そして、ずるずるときてしまった。なんと、二〇一九年の訪中で二三回目だ。

初回の一九九七年、二八名が参加した。南京では八月一五日、「侵華日軍南京大屠殺遇難同胞紀念館」（中国では「屠殺」「紀念館」という漢字を使う）での追悼式に参加した。またこの年が南京大虐殺（一九三七年）六〇周年ということで、国際シンポジウムも開かれその一部ものぞかせていただいた。私たちの南京での一番の目的は虐殺現場を訪ねるフィールドワークだ。揚子江をのぞむ景勝地の燕子磯（えんしき）にも虐殺記念碑があった。すぐ横を揚子江がながれている。六〇年前のできごとに思いをはせる。対岸までかなりの距離だ、さすが大河だ、と思ったらそれは中洲だった。

第一回目の南京での苦い思い出、それは中山陵（孫文さんのお墓）でのこと。最年長のTさんのことだ。Tさんは戦前に日本軍の一員として南京に行っている。彼はクリスチャンで、虐殺事件の三、四年後、軍服を着たまま教会を訪ねたという。最初はびっくりされたが、迎えいれてくださったという。

中山陵についた。さあ行こうとバスを降りた。運転手もいっしょだった。が、Tさんはそのとき居眠りしていたのである。私たちはそのことに、バスにもどるまで気が付かなかったのだ。真夏の晴天の日、運転手が木陰にバスを駐車させてなかったらどうなっていただろうと、冷や汗を流した。

もうひとつ冷や汗があった。私は中国では事務局長ではなく秘書長（中国語で事務局長はカッコよくないとのこと）でツアコンだ。ツアコンがホテルで財布をなくした。それなりのお金に運転免許証、キャッシュカードも入っている。フィールドワークの時間となって、仕方なく出発した。いろいろ考えると気が気でない。ツアコンとしては、自分のことで団に迷惑をかけられない。不安なままフィールドワークを終えて、夕方ホテルにもどった。もう一度さがした。あった。ロビーのソファーにそのままあった。私の財布は韓国でもらった真っ黒な皮のナツメうなぎのもの。ソファーがまた真っ黒、ロビーの隅で暗かったのだ。うれしかった。不安な一日のフィールドワーク、飛田が何かおかしいと気づいたメンバーはいたかな？

4　地平線まで続く大豆畑

南京ののち、バスでもう一つの訪問地・淮南（わいなん）に向かった。もちろんみんなはじめてだ。当時、道路もあまり整備されていなかった。建設中の高速道路でも料金をとられた。なんだこれはと思ったが、建設費用との説明をうけた。仕方ないか……。八時間かかった。

淮南は、パールバック『大地』の舞台だ。バッタの大群にはでくわさなかったが、雄大な景色に圧倒された。地平線までひろがる大豆畑をみて、みんな感動した。日本では絶対みることのできない景色だ。私たちがずっとそれをながめていると、ガイドは、なにがそんなにいいのだという風に、私たちを見ていた。

淮南は、炭鉱の町でもある。日本軍が侵攻し中国人に重労働をさせた。「万人坑」といわれる墓地も残されている。南京への帰路は、合肥にでてから飛行機だった。なにしろ中国は広い。

帰国後、報告集会を開いた。その時にまた盛り上がってしまった。来年も行こう、そしてまた行くことになった。

5　戴國偉さんとの出会い

初めての南京、現地ガイドが戴國偉さんだった。その時は、現地ガイドとして雇われただけだったのだが、その後、戴さんとむすぶ会は切っても切れない関係になった。私たちの旅は、その後ずっと戴さんが現地ガイドをしてくれたから続いたともいえる。

最近の五、六年は南京の現地ガイドにとどまらず、南京ともう一か所（このもう一か所に人気があって継続している）の事前調査と現地案内もしてくださっている。仕事で日本にくるときには、神戸も訪ねてくれるのである。日本の歴史研究者あるいは裁判準備のための弁護士が訪中するときには、その事前調査・現地案内も引き受けている。

二〇〇一年、南京・杭州への旅でのことだ。杭州は、南京大虐殺につながる日本軍の上陸地点としてしられている。本多勝一の本でのその場所の写真がでているし、私たちはそこに行きたいと思った。ガイドは戴國偉さんだった。彼は事前調査をしていたが、その場所が特定できていなかった。戴さんは、オートバイタクシー（あるのです）に乗って、私たちのバスを、道ゆく人々にたずねながら先導した。そして、たどりついた。バスの中で大きな感動の拍手が起こった。楽しい思い出だ。

戴さんからおじさんが日本軍の犠牲になっていたことも数年後に聞いた。また、文化大革命の時期に大変な目にあったことも最近聞いた。私たちにはまだまだ知らないことがたくさんあることを知らされるのである。

6 南京記念館の拡張工事

初代団長は、佐藤加恵さん、以前神戸YWCAでも働かれていた。その後福岡YWCAに転勤されたが、そこで丸木さん夫妻の南京大虐殺の図の展覧会をされた。経験者が神戸にいるということを聞いて、展覧会実行委員会に参加していただき、第一回の訪中団の団長も引き受けていただいた。一〇回(二〇〇七年)まで団長をしてくださった(二〇〇四年は徳富幹生さん)。その後、門永秀次さん、そして第一三回(二〇〇九年)から宮内陽子さんに引き継がれている。宮内さんは兵庫県在日外国人教育研究協議会のメンバーでもある。同協議会は、二〇〇六年からこのツアーをむすぶ会と共同主催している。

ハプニング、トラブル、いろいろあったフィールドワークだったが、最初のころに印象的だったこと、印象的というよりやはり南京というのは大虐殺の土地だったということを実感したことがある。

それは、南京記念館の庭でのことだ。最初の一九九七年、中庭の犠牲者の名前が刻まれたモニュメントをすぎて、遺骨陳列館までの道、私たちはそこを普通に歩いていた。二年目(一九九八年）、そこにテントが張られている。聞くと、記念館拡張工事中に遺骨がでてきたという。発掘作業が始まっていた。記念館の場所はもともと沼地で埋葬地であったと聞いていたが、拡張工事で地面を掘りおこすと、実際に遺骨がでてきたのだ。

遺骨には、番号がつけられている。明らかには母と子という遺骨もある。私たちは、その遺骨が発見された場所を、何もしらずに、前年に歩いていたのだ。知らなかったとはいえ、大きなショックだった。三回目のとき、そこは、遺骨陳列館となっていた。

7　武漢気象台の「気象月報」

私たちの旅が新聞に取り上げられたこともあった。二〇〇六年一二月、朝日新聞にむすぶ会の南京ツアーの記事が掲載された。

その記事を読んで電話をしてくださったのが松江の上田政子さんだ。日赤の従軍看護婦として、一九四四年、南京へ行ったという。記事を見て興味をもった、来年いっしょに南京に行きたいという。そして、二〇〇七年八月、ごいっしょした。

上田さんのお話のひとつは、南京赴任後すぐのハイキング。野外で弁当を食べたときのこと、あたりの土を触っていたら人の骨がでてきたという。南京で大きな事件があったことはうすうす聞いていたので、これはその事件の関係の人骨ではないかと思った。その後、長い間、この人骨をみたということは誰にも話さずにきたという。その場所を確かめたいとのことだ。現地ガイドの戴國偉さんの事前調査では、それは中華門か光華門ではないかとのこと。この二か所を回った。もちろん六〇年以上経過しており、そのお弁当を広げた場所をみつけることはできなかったが、上田さんとそのあたりを歩いた。

もう一か所、上田さんは当時勤務した陸軍病院にも行きたいという。中国の公共施設は特別の許可がないと入れないところも多い。現在は東西大学の病院となっている。戴さんが八方手をつくしてくださり、内部を見学することができた。当時の建物がそのまま残っており、上田さんは記憶をたどりながら見学した。そして私たちに当時の話もしてくださった。

その上田さんが南京訪問のことを「山陰中央新報」（二〇〇七年一二月一二日）に書いた。するとき、父がその陸軍病院で亡くなったという方から上田さんに連絡が入った。その方が、父のことを日赤に問い合わせると上田さんを紹介されたという。翌二〇〇八年、その方も南京に同行した。

上田さんは戦後ハンセン病療養所で働かれ『生かされる日々―らいを病む人びとと共に』（二〇〇九年四月、皓星社）も出されている。そして、長島愛生園の「青い鳥楽団の母」としても知られている。上田さんが南京記念館で当時のことを語った講演は映像に残されている。撮影・編集は、湯本雅典さん、東京の小学校教師で映像製作に明るい。家業を継ぐために退職し、そのご沖縄、東日本大震災などをテーマにドキュメンタリー作品をつくっている。

上田さんの南京での講演で、私に強烈な印象を与えたのが戦争末期の日本軍の上官の言動だ。上田さんら看護婦にその上官は、そのうち?戦争に負けて女性は中国人に強姦されることになるのだからと、強姦しようとしたというのである。上田さんは、針でその上官の眼をさして阻止したというのだ。なんということか……。

その二〇〇七年の旅では武漢も訪問している。そこで武漢気象台が一九三八年五月から四三年一一月までの「気象月表」がなくて困っている、日本で入手してほしいと依頼を受けた。帰国後、日本の気象庁に「行政文書開示請求書」を提出し、その資料を入手することができた。武漢気象台にそれを送ると大変喜ばれた。

８　映画「南京１９３７」

フィールドワークの参加者は多士済々、そのなかのひとりが久保恵三郎さんだ。キリスト教の牧師で、俳優でもある。東映の「二等兵物語」に出演したというが、私はその映画はみたことがない。阪神淡路大震災の年（一九九五年）の夏、久保さんのところに南京から映画出演の依頼がきた。そして撮影に参加した。映画「南京１９３７」だ。役柄は、松井石根、軍部の制止を振り切って?南京攻略を主張して実行した南京大虐殺の最高責任者だ。戦後、東京の戦犯法廷で、有罪／絞首刑となった人物である。

その映画が私たちの最初の訪中時（一九九七年八月）に完成した。久保さんはその完成を記念して招待されていた。フィールドワークのバスの中では、いろんなメンバーのいろんな話を聞くが、そこに久保さんの撮影秘話もあった。集団虐殺の場面では人民軍兵士一万名を動員し、大きな窪地でロケが行われた。久保さん扮する松井大将が機関銃射撃開始の合図をだした。その撮影現場での久保さんと映画監督との話だ。「よくこんな好都合なロケ現場ありましたね」という久保さんに、監督が、「この場所は虐殺の現場だったのです」と答えたという。場所は幕府山、私たちが毎年のように訪ねる草鞋峡記念碑の南に広がる山である。その現場近くで、その話を聞いた私たちは大変びっくりし、神妙な気持ちになった。

その久保さんはその後も私たちの団に何回か参加された。メンバーの中では最高齢で、それなりの?トラブルもあった。上海の高級ホテルで下着のまま鍵をもたずに部屋をでてしまい、仕方なくフロントに行った。そこで事情を説明し、部屋にもどれたという。ツアコンの私はその現場にいなくてよかった。いたら、こんなおじさんしーーらない、と言っていたかもしれない。

映画「南京１９３７」は、すばらしい映画だ。日本でも上映したいと思った。版権、日本語字幕作成等の問題が残っていた。太っ腹?のむすぶ会は、その場で五〇万円の出資を申し出た。そして神戸での上映会も成功し、その出資金も無事回収した。全国的にも成功裏に上映会が行われた。関東で一か所、右翼が上映会を妨害し銀幕（これは死語?）を破るという事件があったのが残念だった。

9　常徳の高峰弁護士

二〇〇六年、南京・無錫・石家荘ツアーのとき若桑みどりさんが参加された。ジェンダー論でも著名な美術史学者だ。『戦争とジェンダー──戦争を起こす男性同盟と平和を創るジェンダー理論』などの著書がある。夜ホテルで有志による「若桑講座」も何回か開かれた。私は、夜の秘書長室での接待外交のため？、参加できなかった。豪快な方で、ズバズバと歯に衣着せぬ発言も健在だった。

ツアーのなかで、無錫の太湖見学の時間があった。歌手や琴奏者も同乗した観光船に乗った。若桑さんは不機嫌だった。こんなために来たんじゃないなどなど。ツアコンの私は、まあそうおっしゃらずに……と平身低頭。飲み物を注文することになり、それぞれがいろんなものを注文した。

若桑さん何になさいますか、とツアコン。「コカ・コーラ」。若桑さんの思想と結びつかない？注文品に、みんなあれーーとなった。私もなった。だが、みんなそのジェスチャーは控えめだった。

ユニークな参加者のことを書くとこれもきりがないが、ほぼ常連の元高校教師、阪上史子さんもそのおひとりだ。阪上さんのスケッチが、毎年の報告書をいい雰囲気にしてくださっている。二〇一四年の南京・無錫・上海ツアーのとき、杭州金山衛で阪上さんがスケッチしているとき、現地の男性が声をかけてきた。スケッチの話から、彼が地域の歴史を研究する学者で、雑誌も発行していることが分かった。スケッチブックから駒である。その事務所をみんなで訪問して交流した。いい機会をつくってくれたと感謝している。

中国の若い人たちとも出会っている。二〇一五年、広州珠海でのフィールドワークのとき、熱心に調査している地元の高校生グループと会った。彼ら彼女らは、私たちが探していた日本軍関連の場所を、いっしょにバスに乗り込んで案内もしてくれた。話をしていると学校の先生が熱心な先生のようだ。日本軍の侵略の跡を生徒といっしょに調査しているのだ。戴さんに電話をしてもらった。お会いできなかったが、意気投合した。後日、なんと常徳（二〇一八年）でお会いすることができた。先生の出身が常徳で、ちょうど帰っておられたのである。

また、石家荘（二〇〇六年）で、シンポジウムに参加していたとき、ある方が、むすぶ会のひとりが開いていた前年の報告集（南京・済南・青島、二〇〇五年）をのぞいていた。そこに写真とともに張樹楓さん（青島市社会科学院）の講演録があった。その張樹楓さんだった。みんな集まってきて、ワイワイとなった。あわてて、報告書を送っていなかったことをお詫びして、その報告書をさしあげた。こんなことがあるのかと、みんなでびっくりした。

元中学校教師・湯本雅典さんはドキュメンタリー作家でもある。先の上田政子さんの南京での講演ビデオを作ってくれた方だ。何回かツアーに参加され、何本かの作品をつくってくれた。ビデオ映像が残るのはうれしい。南京記念館での、日本の教科書問題に関連しての中国の学生への突撃インタビューは、その映像とともに強烈である。

ビデオ記録では、元町映画館で始まった池谷薫監督のドキュメンタリー塾の受講生・田中園子さんが参加し（二〇一八年、南京・常徳）、その作品を報告集会で上映した。先生がいいのか、生徒がいいのか、なかなかの作品だった。

ツアーには、「学生枠」での参加というのがある。参加費用が格段に安い。最初のころは無料、最近では五万円プラス保険代だ。大学の卒論で南京大虐殺をテーマで書くという学生がいたり、参加者にどんなおじさんおばさんがいるのだろうかと興味津々？で参加したという学生もいた。応募動機の作文をだすのが条件で、募集は二名だ。四名の応募があって仕方なく四名ともＯＫとした年もあった。連続の学生枠参加で、そののちは自費参加した殊勝な学生もいた。

中国での出会いはまだまだ書くことがある。私には、二〇一八年常徳でお会いした若い弁護士・高峰さんが、強烈に印象に残っている。常徳での細菌戦調査の中心メンバーで、フィールドワークの案内もしてくださった。郊外に作った記念碑も、彼が中心になって地元の人々を説得して建設が実現したものだ。またお会いしたいと思っている。

10　ひまわり畑で……

むすぶ会のツアーでは幸いなことに大きな事故がなかった。あれば、即中止となっていたと思う。

が、小さな事故はあった。そのなかで、ツアコンとしてもっとも緊張したのが、一九九九年、南京・太原・大同・北京のコースだ。この年の南京はほんとに猛暑で、三五～四〇度、熱中症の心配ばかりしていた。そして太原に行った。そこには万愛花さんがいる。前年神戸で、日本軍から性暴力を受けて日本で裁判に訴えた万さんの証言集会を開いた。お話を聞いた以上は太原に行かなくてはと、太原ツアーとなった。

南京から夜行列車で太原へ。太原からはバスで黄土高原を走り万愛花さんの待つ進圭社村に向かった。道はガタガタ、バスはぬかるみにはまる。バスから降りて車体を軽くして、押したりするが脱出できない。二時間ほど立往生した。トイレはない。しかたない。回りは一面のひまわり畑で、右ブッロクを女性、左ブロックを男性と決めてトイレタイムとなった。

午後を少しまわって進圭社村につく。万愛花さんの出迎えを受け、そこで話を聞いた。当時、万さんは日本軍の陣地に連れ去られ暴行を受けた。死んだと思って捨てられた。が、翌日、村の人がまだ息のある万さんを発見したのである。ヤオトンと言われる斜面に洞穴のようにつくられた家でお話をきいた。

またバスでデコボコ道を太原までもどり、翌日、バスに丸一日揺られて大同に行った。大同石窟で有名な大同、ここにも中国人労働者の強制労働があり、万人抗があった。フィールドワークののち巨大な石窟を見学していたら、雨が降りだした。気温は下がり一五度、南京との差はなんと二〇度、体がついていかない。体調不良者もでてきた。が、またしても夜行列車で、北京へと進んだ。

北京では、私たちは到着後、盧溝橋記念館を見学し、夕食は旅の手配をしてくださった中国国際友誼促進会主催の夕食会だ。有名な北京ダックもでたが、団員のなかで食したのは、M１女史、鉄の胃袋をもつといわれたM２女史、それに私ぐらいだった。私は、促進会代表の「みなさんお疲れのようですからこのあたりでおひらきにしましょう」の言葉を聞いて、安心して気を失った？。二回の夜行列車、悪路のバス、進圭社村でおいしそうに実っていた生々しい棗（なつめ）を食べたことなど、あまりにもハードすぎたのである。

促進会は、ずっとむすぶ会ツアーの手配でお世話になった。東北大学で留学の経験があり日本文学に造詣の深い徐明岳さんだ。

翌日は飛行機で帰国。が、夜中に四名が病院行きとなった。三名はホテルにもどってきたが、一名は入院となった。さて、困った。全員で帰国できるか……。彼は点滴を打ってもらい、朝、ホテルにもどってきた。そして同じ飛行機に乗った。よかった。

二三回の旅のなかで、このときほど多くのメンバーが旅行保険のお世話になったことはない。まあ、こんな時のための保険なので、保険会社の人にはたいへん手をわずらわせたが、まあいいだろう。

11 「セデックバレ」

けっきょく旅のトラブルの話が多くなってきたが、南京・海南島の時（二〇一一年）にもあった。Iさんは、旅の前に兵庫県から大阪府に引っ越しした。そしてパスポートも新調した。パスポートは都道府県単位で発行されるのだ（ではないという説？もある……）。

常連のIさん、団体リストには古い兵庫県発行のパスポート番号が書いてあった。関空では問題がなかったのに、海南島に向かう南京空港で問題となった。チケット購入のために登録した番号とパスポートの番号が違うと……。ふむ、しかたないと、私は飛行機会社のカウンターにチケット購入のために走った。時間がない、が、クレジットカードを忘れた。みんなのところにもどってカードを持ち、再度、カウンターに向かおうとしたら、電話がかかってきた。海南島ホテルで待つ神戸華聯旅行社の金啓功さんが、ネットでパスポート番号の変更をしてくれた。チケット購入は不要となった。ビジネスクラスしかなく、けっこう高額なチッケトを買う気持ちになっていたが、買わずに済んだ。よかった。これはツアコン飛田のミスから生じたことで、だれかを恨むことではない。でも、心労だけで実害はなかった。

海南島は、温帯・亜熱帯・熱帯とバスで走り、日本侵略当時を知る方の貴重な証言を聞くことができた。私たちの通訳は海南島の方言が分からない。監視のためについて来た？警官に北京語に通訳してもらうという二重通訳もあった。

神戸華聯旅行社の金さんには、海南島の飛行機手配をお願いし、南京・台湾（二〇一三年）のときにも全行程の飛行機等をセットしてもらった。私は、南京で合流して台湾へと考えていたが、在日中国人は、中国（大陸）から直接行けないとのことで、台湾台北空港での合流となった。在日中国人にこんなこともあるのかと思った。

台湾では霧社事件の現場も訪問した。映画「セデックバレ」を観ていたので、絶対に行きたかったのだ。帰路は、台湾―上海―関空のコースだった。台湾から上海への飛行機が遅れた。人間はなんとかトランジット（乗り継ぎ）できたが、荷物がダメだった。二日後、自宅に宅急便でとどいた。ラクチンだった。

12　香港へ、雲南省へ

むすぶ会のツアーは、毎年の南京に加えてのもう一か所を訪問する。これがだんだんとエスカレートしてきた。香港（二〇一二年）へも行った。日本から出直した方が、飛行機代が安くなるのではという話もあったが、そうはいかない。南京から上海、そして上海から香港へ飛んだ。日本軍の香港侵略もすさまじい、現地で多くのことを学んだ。香港でも多くの中国人犠牲者を出している。

雲南省（二〇一六年）は、ちょうど二〇回目のツアーだった。むすぶ会ツアーがこれで終わりではないかという噂がながれたのと、めったに行くことのできない雲南の戦跡ツアーであるとのことで、三〇名近くの参加者となった。

メインのひとつが怒江にかかる恵通橋。日中の激戦の地で、日本軍が爆破した橋だ。バスではだめで、ジープでしか行けない。ツアコンの私は鬼となって、五名の選抜メンバーを決めた。行けなかったメンバーからだいぶ恨みをかった。私がその橋に行っていたら、無事に日本に帰ってこれなかったかもしれない……。

13 「チンダピージャオ」

旅の楽しみはなんといっても食事。これも書き出すと最後までいってしまいそうだ。

初回の淮南のあとの合肥（一九九七年）は、豆腐が有名。朝昼晩、いろんな豆腐をいただいた。また最初のころ、冷えたビールを求めてさまよったこともあった。中国では日本のように冷やしたビールを飲まないようだ。最初のころ、夜中に有志が街の餃子屋さんに繰り出すことがよくあった。が、餃子屋さんはたくさんあっても冷えたビールがなかなかない。中国語を勉強しているメンバーががんばってその旨を伝えるがなかなか伝わらない。並べてもらったビールを触って、これはＯＫとかいうスタイルだった。その通訳は波戸雅幸さんの担当だった。波戸さんは「チンダピージャオ」と言っていたが、これでよかったのだろうか？

　これも初回だが、帰国の日、上海のバイキング料理店にいった。一メートル半ほどある丸い鉄板があり、客が好みの肉・野菜・調味料をもっていって焼いてもらうのだ。そのとき、小中高生が四、五人いたが、大人気だった。一メートルほどの二本の箸で手際よく炒めて、曲芸のようにお皿を回しながら盛って出してくれるのだ。私もそれが見たくて、何回も材料をもっていって焼いてもらった。飛行機にはちゃんと、間に合った。

　重慶（二〇〇二年）では、揚子江にクルーズ船での夕食会だった。三峡ダムができる前に行かなくてはと重慶に行ったときだ。景色のいいデッキで食事をしてから、階下の中国人乗客と交流しようと私たちは降りていった。佐藤団長を先頭に、いっしょに盆踊り（炭坑節）もした。友好的で感動した。が、あとで聞くと当地の外事弁公室が船ごとチャーターしたもので、乗客は公務員だったのである。まあいいか……。

　青島（二〇〇五年）ではやはりビールだ。工場にあるレストランで食事した。カンパイ！、とやったあと、みんな、顔を見合わせた。うまいのである。これまで飲んだビールと違う。みんながそう思った。工場で飲んだ生ビールだったからか？　その後、市内で何回かビールを飲んだが、その感動はなかった。

　南京ののち虎頭・虎林（二〇〇九年）に行ったときのこと。帰路、鶏林で地元の外事弁公室の招待で昼食会があった。最初のころは、日本から友好訪中団が来たというと、接待宴がよく開かれた。そんなとき日本では、通訳はほとんど食事をせずに通訳に徹するが、中国ではそうでないようだ。よく食べるのだ。それは、いいことだ。

鶏林での昼食会、テーブルが大きかった。中央に大皿が並ぶのではない。そうするとテーブルが大きすぎて、手が届かない。表現がむつかしいが、回転ずしのような、ドーナツ型？のターンテーブルがあり、小皿がどんどん回ってくるのだ。人数は四〇名？、すごい。その後、そのような大テーブルをみたことがない。

初回（一九九七年）、南京で歓迎宴があったとき、大阪のメンバーMさんが、七〇度の老酒でまさにひっくり返った。朱成山館長（当時）は、ダンスが上手だった。残念ながら私たちのメンバーでお相手できる人はいなかった。カラオケでは少しがんばった。その後、中国では接待宴自粛となり、最近こういうことは、ない。残念だ。

14 『南京事件フォト紀行』『大竹から戦争が見える』『日中戦争への旅』

旅の後、毎回報告集を作っている。だんだんと分厚くなり、最近は一〇〇頁ほどのものになっている。参加者の感想文（いつも出さない常連がいる、Hさんあなたです）のほかに、かなり詳しい行程表、証言などを収めている。またフィールドワークノートも作っているが、これも年々分厚くなり、最近は一〇〇頁を越えることもある。

報告書と別にメンバーによる個人の冊子が発行されることもある。私の高校の器械体操の先輩でもある成川順さんは、『南京事件フォト紀行』（二〇一一年一二月）を出版した。阪上史子さんは、二〇一一年の海南島訪問後、『大竹から戦争が見える―海南島と大竹と戦争―』を出し、それが広島の出版社の目にとまり、『大竹から戦争が見える（シリーズ広島地域近現代史）』（二〇一六年三月）が出版された。宮内陽子さんは、毎回詳細なレポートを「報告書」に書いているが、むすぶ会ツアーの総集編ともいえる『日中戦争への旅◎加害の歴史・被害の歴史―南京／海南島／香港／台湾／無錫・上海／広州／雲南／徐州・台児荘／岳陽・廠窖・常徳・長沙／桂林』（二〇一九年一二月、合同出版）を出版した。そして私は、いま、これを書いている……。

15　人気の雨花石

南京での恒例行事のひとつに「夫子（孔子）廟散策」がある。南京一の繁華街で、観光船が行き交い、夜店がたくさんでる。ここで、私たちはおみやげを買う。学校の教師は、生徒の数だけ小物を買う。雨花石が人気だ。このあたりの揚子江でとれるきれいな石で、安い屋台では両手いっぱい三〇〇円ほどで買うことができる。毎回、丁寧な工程表や証言録を作ってくれる小城智子さんは、生徒の数の絵ハガキを買い、旅行中にせっせとハガキを書いていた。私はアイスクリーム食べながらうろうろしているだけだが、白地の扇子を買った。旗のかわりに「神戸南京心連心会」と書いた扇子を、フィールドワークのときに使っている。傷むと新調して、いまは三代目だ。扇子の骨と白紙を別に売っているのもある。その白紙は書きやすいが、骨に入れるのに骨が折れるので、やめた……。

筆もときどき買う。記念写真用の看板を書くのだ。看板は紙に書くので雨に弱い。最近は二枚書いてもって行くので、一回の雨なら問題はない。何年か前、南京の記念館に求められて、その看板を一枚差し上げた。記念館に私の毫筆?が一枚保管されている（はずだ）。

16　ハルビン、伊藤博文、安重根

私は、むすぶ会ツアーのおかげで中国各地を訪問できた。ツアーは、日本軍が侵略した足跡をたずねるのが目的だ。日本軍は海南島まで行っているのか、行こう、桂林まで行っているのか、行こう、と多くのところに行った。

個人的には、朝鮮史に興味をもつものとして、中国にある関連史跡も訪ねることができたのが嬉しい。「三一独立運動」（一九一九年）のあと上海に作られた大韓民国臨時政府跡を訪ね、更に臨時政府があった杭州、南京、長沙、広州、重慶を訪問した。

その臨時政府の金九が命じた事件、尹奉吉の上海・虹口公園での爆弾事件（一九三二年四月二九日）の現場も訪ねた。白川義則と河端貞次が死亡し、重光葵が重症を負った事件である。二〇〇四年は、上海・南京・大連・旅順のフィールドワークで、安重根が処刑された旅順監獄を訪ねた。看守も安重根を尊敬し、安はそこで何枚かの書をしたためている。安重根には特別の部屋が用意されていた。

安が伊藤博文を射殺したハルビン駅にも行った（二〇〇〇年）。事前に友人からハルビン駅構内に銅像があったが、戦後撤去されたとの情報を得ていた。構内で探した。それらしい台座跡が残っていた。ここから伊藤を狙ったのかなどと想像をふくらませた。が、まちがいだった。その像、私は安重根だと思っていたが、伊藤博文だったのだ。友人は伊藤博文のつもりで話し、私は安重根のつもりで聞いていた。思い込みには、気をつけたい。なぜ安重根像が戦後撤去されたのかと思っていたが、伊藤博文像なら当たり前のことだ。ここでもひとしきり、反省した。

17　「祭」？

二〇二〇年、二四回目の旅は、コロナでどうなるか？　実は、二〇〇三年のとき、ＳＡＲＳで訪中を中止して、代わりに二〇〇七年に例年の八月の訪問に加えて、一二月にリニューアルオープンした南京記念館を訪問した。したがって、二三年で二三回の訪中と計算が合っている。

ＳＡＲＳのとき、「こんなときこそ訪中してくれないと」と中国の友人に言われたことを思い出した。宮内団長はひとりででも「八・一五」に南京へ行くと意気込んでいたが、ダメになった。そのかわり、一二月一三日の中国の国家記念追悼日に訪問したいと思うが、どうなるか分からない。

七月の終わりに南京の記念館から、訪問のかわりにむすぶ会から五分間のビデオメッセージを送ってほしいと依頼があった。八月某日、学生センターに集まったメンバーはいつものように横幕のもと「祭」の団扇をもって、団長がスピーチした。

その「祭団扇」、祭という言葉は日本でお祭りのイメージだが、中国では死者を弔うときにのみ使われる追悼の場にはふさわしい言葉とのこと。最初のころ、団扇にむすぶ会の名を入れたものを持参した。現地のテレビ局がその裏の「祭」ばかり映そうとした。後にその意味を知り納得した。以降私たちは南京に「祭団扇」を持参しているのだ。

神戸から送った映像は、他の国の人々のメッセージとともに、南京記念館のホームページにアップされている。フェイスブックで動画を送ったが、それでは画像が荒い、もとのサイズの画像を記念館に送ってとのこと。中国・日本間のインターネット事情は少し複雑なことがある。ドロップボックスはダメだった。画像は五一〇MB、何とか〇〇便で送った。便利なもんだ。よかった。

最初のころ、中国との事前打ち合わせは手紙、ときには国際電話、それがFAXとなって大感激した。そして今は、インターネットだ。手放しで喜んでいいのだろうか？

第5話 「青丘文庫」実録

1 「青丘國、海東三百里ニ在リ」

現在、入口に次のような掲示がある。

「大韓民国済州島出身故韓皙曦博士収集の朝鮮史資料三万点のコレクション。平成八年(一九九六年—飛田)、神戸市立中央図書館に寄贈されたもの。／政治、思想、民族運動、社会経済、在日朝鮮人の五分野に分け系統的に収集されており、「国内最大級のコレクション」との評価を得ている。／「青丘」とは中国書「續山考古録」の「青丘國、海東三百里ニ在リ」から名づけられた朝鮮半島の雅称」。

2 財団法人・青丘文庫？

青丘文庫は一九六九年にスタートした。

韓晳曦（ハン・ソッキ）さんが、実業人としての仕事のかたわら、朝鮮史、特にキリスト教史を研究するのにまとまった文献がないことを痛感されたのだ。「青丘文庫」、命名は、韓さんがいつも語っていたように姜在彦さん、著名な歴史学者だ。

青丘文庫が須磨区のご自宅からエバグリーンビルに移転したのが、一九七二年。このあたりから私も出入りしている。当時大学三年目（どういうわけか三年生ではない）。ビルの四階、階段を上がっていくと、各階からシンナーの刺激臭がしてくる。ケミカルシューズの工場なのだ。

『青丘文庫月報』一号（一九八五年一月五日）巻頭言に、韓さんは次のように書いている。

「新しい年となりました。青丘文庫も遅々とした歩みでありますが、いつのまにやら、始めてから一五年、現在地に移ってからでも一三年にもなり、蔵書の二万点を越えるに至りました。／（中略）一五周年記念という訳でもありませんが、できれば阪神間（西宮北口─阪急六甲）のもう少し交通の便利な処へ移転させたい、またこの機会に財団法人か社団法人にしたいものと計画し、いろいろ研究しております」

先走るようであるが、この財団法人化について、故金英達さんと私が兵庫県教育委員会に相談にいったことがある。八〇年代後半だと思う。

担当者曰く。神戸学生青年センターは一九七二年設立で、当時は建物だけでお金がなくても財団法人となることができたが、今は無理です、建物と別に一億円?のお金（基本財産）が必要です、利息で職員をひとり雇える保障があってこそ幽霊財団にならないのです。すでにその当時からいかがわしい財団法人が問題となっていた。二〇〇六年に法律が改正され、財団法人は公益財団法人か一般財団法人、あるいは自然消滅となったのだ。学生センターは無事、二〇一三年に公益財団法人となった。いかがわしい財団法人が跋扈していたため、えらい迷惑を受け、複雑な公益財団法人への移行を強いられたのである。財団法人青丘文庫の定款（寄附行為）まで金英達さんと考えたのだが、徒労であった。実業人とはいえ韓さんには一億円のお金を出すことができなかったのだ。

3 焼肉の「かんてき」「映ちゃん」の思い出

エバグリーンビルの青丘文庫は、その後、須磨寺近くの自宅建て直しのときに、青丘文庫のスペースも用意され、そこに移転した。ご自宅のビルの名前は、「メソン・ド・青丘」、一九八六年のことだ。

余談だが、エバグリーンビルでの研究会後の懇親会は、焼肉「かんてき」が定番で、その後は兵庫駅西の「映ちゃん」（小泉製麻西側）だった。みんなそこの味が忘れられず、ご自宅のビルに青丘文庫が移ってからも、遠路タクシーに乗って映ちゃんにくりだしていた。その迫力たるや、普通の家のような座敷に入ると注文も聞かずに、人数分の肉がバケツで提供されるのだ。現在の青丘文庫（神戸市立中央図書館内）に移ってのちにも、なつかしくて行ったことがあるような気もする。

4　阪神淡路大震災と青丘文庫

ご自宅に移転したのが一九八六年、阪神淡路大震災が一九九五年だ。その震災で、以前に青丘文庫の入っていたエバグリーンビルは全焼した。ケミカルシューズ業界ではシンナーをよく使用しており、それが火の勢いを強いものにしたといわれている。この移転がなければ文庫の蔵書はすべて焼失していたことになる。

そして、その後の話だ。以前、財団法人化の話もあったが、韓さんは文庫をなんとか恒久的なものにしたいという希望を持たれていた。震災後、神戸市は、中央図書館に復興支援金を得ての別館建設の話がでてきた。そしてその一角に特別コレクションとして青丘文庫の話があがった（ようである）。

韓さんの友人で神戸ＹＭＣＡ名誉総主事の今井鎮雄さんが尽力された。今井さんは、兵庫県教育長なども歴任された方で、行政にも太いパイプをもたれていた。今井さんの働きかけもあって、その特別コレクションとして青丘文庫が迎えられることになった。移管したのが翌一九九六年、その後、一九九八年に韓さんは亡くなれた。韓さんが文庫の神戸市への移管を見とどけることができてよかったと思う。月報一号の巻頭言に交通の便のいい阪急六甲……、というのを読んだとき、韓さんは学生センターへの移譲を考えているのかな、スペースはないな あ、などと思っていたのだ。韓さんは、センターの設立母体のひとつ日本キリスト教団の役員であり、センターの理事でもあった。私は青丘文庫の神戸市への移譲によって、センターの責任者としても、肩の荷をおろすことができたのである。

5　「青丘文庫研究会」のなぞ

青丘文庫では二つの研究会が開かれている。在日朝鮮人運動史研究会関西部会と朝鮮近現代史研究会だ。代表はそれぞれ飛田と水野直樹さんだ。

それともう一つ「青丘文庫研究会」がある。が、これは、もともとなかったのだが、便宜的に作られた。青丘文庫が神戸市に移管されてからその研究室をお借りしてこのふたつの研究会が開かれることになった。そこで、神戸市との事務協定締結の必要があった。二つの研究会との協定は面倒だ、ひとつの名前でいこう、そして青丘文庫研究会ができた。代表は飛田ということになった（した）。以降、研究室使用届、会員証発行などの業務はこの青丘文庫研究会の名前でなされている。

会員証、ちょっと便利だ。ここで青丘文庫の利用方法を紹介してみる。図書館別館三階の事務室にいって登録する。それには身分証明書が必要だ。青丘文庫の鍵を受けとり、荷物をロッカーに入れ筆記用具等をもって、四階の文庫に入るのである。あとは自由だ、ひとりでゆっくりと勉強できる。会員証があればこれらの手続き一切省略できる。毎年年度初めに青丘文庫研究会の名簿を提出して会員証を発行してもらう。この会員証、とくに資格はいらないが、お金がいる。学生会員は無料だが、それ以外は、年三千円を払う。対価としては入館手続きの簡素化と月報購読だけだが、これが月報発行などの費用にあてられている。学生会員は、月報郵送はなしで、メールでの案内受信のみとしている。

在日研究会の方は、別途年五千円の会費が必要である。これには『在日朝鮮人史研究』三冊の代金込みだ。お得だが、これで雑誌発行を支えている。以上、ぜひ、入会をお願いする。実は、三年前まで別途二千円を図書購入カンパとして集めていた。神戸市には新規図書を購入する予算がなかった。私たちが本を寄付したり、カンパで必要な本を購入したりしていたのである。これも、青丘文庫のスペースがいっぱいとなり新規図書受け入れを停止によって（継続雑誌はＯＫ）、停止した。

文庫入館をめぐるトラブルが一度あった。中央図書館に移転後、三、四年のころだったと思う。研究会の日、会員証をもたない韓国からの留学生が受付にいったとき、係の人が身分証明書の提示を求めた。持っていなかった。すでに私を含めて他のメンバーは研究室に入っているので呼んでくれたらいいのに、それをせず証明書提示の一点張りだった。そして、その留学生は帰ってしまった。後日、そのことを聞いて、みんな立腹。その日の係の人が特に「公務」に忠実すぎたのだ。その後、その方が担当を外れて?、このようなことはなくなった。安心してきていただきたい。

6　司馬遼太郎さんの青丘文庫訪問

時代をもどして、エバグリーンビル時代の文庫について記録しておこうと思う。

初代の事務長さんは金慶浩さん。戦後、韓晳曦さんに朝鮮語の手ほどきをされた方でもある。文庫のいろいろな世話をしてくださった。初期の月報の手書きの字は金さんの字である。温厚な人柄で人気があった。平日に文庫にいくと、なぜか金慶海さんといつも?・囲碁をしていた。どちらが強かったのかしらないが、とびきりのスピード碁だった。一冊目の文庫目録も金慶浩さんのガリ版である。在日研究会で、金慶浩さんから体験談を伺ったこともある。一九八四年三月の例会だ。堀内さんによる簡単な記録が、月報三四号（一九八八年五月、金慶浩さんは八七年四月に逝去）にある。

また、初期の文庫には研究員がいた。宮嶋博史さんと宋連玉さんだ。資料収集の作業をし、入手不可能な資料はコピー、製本した。今も文庫にそのコピー製本の資料が多くある。図書館的には、その扱いがむつかしいそうだが、私的にはコピー本でも利用できればいい。先輩の努力に感謝している。

一九八二年一二月二五日、NHKのニュースで取り上げられた。司馬遼太郎の「街道をゆく」（『週刊朝日』八二年一一月一九日号）のテレビ版だ。出演者はもちろん韓さん、そして若き日の水野直樹さん、山根俊郎さん、若生みすずさんだ。みんなそれなりにいい発言をしている。映像を見たい方は連絡ください。

文庫に須田剋太のすてきな書があったことを覚えている方がいるかもしれない。須田さんは「街道をゆく」の挿絵を描かれていたが、韓さんの娘さんの絵の師匠でもあった。その縁で書があったのかもしれない。「飛翔」という大きな、伸びのあるすてきな書だった。「飛」の字が苦手な私は、その字にあこがれている。あの額はいまどこにあるのだろうか？（ほしい……）

7　『在日朝鮮人史研究』

青丘文庫ではすでに述べたようにふたつの研究会がもたれている。在日朝鮮人運動史研究会関西部会（代表・飛田雄一）と朝鮮近現代史研究会（代表・水野直樹）だ。

　在日の方がスタートは早い。一九七九年二月一一日に第一回研究会が開かれている。朴慶植さんが約二年間、東京から参加してくださった。研究会も充実していたし、朴さんを囲む二次会、三次会も毎回盛り上がった。

　関西部会というのは先輩の関東部会があったからである。関東部会は、朴慶植さんを中心に、一九七六年六月にスタートしたもので、研究誌として『在日朝鮮人史研究』を刊行している。関西部会発足後は、共同刊行となっている。

　関西部会は、毎月一回、研究会を開いている。当初は、朴慶植さんの書かれた『在日朝鮮人運動史』をテキストに朴さんのコメントを聞きながら進められた。朴さんのコメントも貴重だったが、それ以上に貴重だったのが、研究会および終了後の懇親会での雑談だ。朴さんはまさに在日朝鮮人史研究の生き字引で、資料のありか、捜索方法、現地調査の方法などなどほんとうに勉強になった。

　研究会は、徐々に各自の研究レポートが主になっていったが、在日朝鮮人一世の話を聞く機会も多くもった。先の金慶浩さんの他に、韓皙曦さん、朴憲行さん、徐元洙さん、鄭承博さん、それぞれの体験のお話は興味深いものだった。

関東部会と関西部会の合同プログラムもあった。第一回目は一九九一年九月、愛知県の長篠で開かれた。梶村秀樹さんの墓参り、三信鉄道フィールドワークののち、勉強会などがあった。

二回目は九三年九月、宇奈月温泉で開かれた。各部会からの報告、フィールドワークがあった。合同合宿がいいのは、なにより会員が一同に会して交流できることだった。互いに名前だけしか知らないというメンバーもいたのである。

私は、その後、朴慶植さん、崔碩義さん、神戸大学留学生鄭燦珪さんと四人で更に奥の祖母谷温泉まででかけた。川沿いに、温泉があった。熱ければホースで水を入れるという温泉で、ゆっくりとつかり、大いに飲んだ。夜中、朴さんが、背中が痛いと大騒ぎになった。よく見ると背骨の一部が飛び出ている。大変だ。私がそっとそこに触れると朴さんは大声を出して飛び上がった。そして、治った。私がなおした?

学生センターで操体法の講座（講師・金井聖徳さん）を受けたとき、人間は痛みに反応して痛みから逃れる動きをするが、それにより体の変形が治ることがあると聞いたことがある。それだったのではないかと思っている。そのでっぱった背骨は見えなくなっていたのである。

翌朝、鄭燦珪さんと私は、お二人をのこして白馬岳に登った。けっこうハードなコースで今なら登れないと思う。

8 滋賀、釜山、東京、神戸、仁川、川崎、神戸・高槻、群山、東京

合同研究会は、その後、「朝鮮人・中国人強制連行・強制労働を考える全国交流集会」（一九九〇年〜九九年）があったので、まあそこで会うからいいかということで開催されなかった。その後、二〇〇四年、滋賀県立大学で、両部会と韓日民族問題学会（韓国）との共催で第一回「合同研究会」が開かれた。一九九八年二月に亡くなられた朴慶植さんの蔵書が同大学に移管されたので、その見学も目的のひとつだった。韓日民族問題学会は日本に留学した韓国人留学生らが、帰国後に作った在日研究のための学会だ。彼ら彼女らはそれぞれの大学に属していたが、朴慶植さんのお弟子さんともいえるかもしれない。

合同研究会は、基本的に関東、関西、韓国が二年に一度持ちまわりで開催している。二〇〇五年韓国（釜山）、〇七年東京、〇九年神戸、一一年韓国（仁川）、一三年川崎、一五年神戸・高槻、一七年韓国（群山）、一九年東京という具合である。それぞれにレポートもフィールドワークもすばらしい。もちろん懇親会もすてきだ。記録を散逸させないようにしなければならない……。

9 『朝鮮史叢』『朝鮮民族運動史研究』

朝鮮近現代史研究会は、在日研究会より遅れてスタートしたが、前史がある。

一九七〇年代の話だ。当時京都大学人文科学研究所で、飯沼二郎さんが、一九七六年四月、「近代朝鮮研究班」をスタートさせた。理論的リーダーは姜在彦さんだ。韓皙曦さん、小野信爾さん、松尾尊兊さん、安秉玲さん、井口和起さん、樋口謹一さんらもいた。そこに若手の研究者が集まった。私もいちおうそのうちのひとりだ。宮嶋博史、金森襄作、原田環、宋連玉、金静美、水野直樹、羽鳥敬彦、堀和生、李景珉、兪澄子、黒岩直樹、孔裕己、リングホーファ・マンフレッド（忘れている人はいないかな?）。毎月、人文研で研究会が開かれ、研究報告書として『近代朝鮮の社会と思想』（未来社、一九八一年三月）、『植民地期朝鮮の社会と抵抗』（未来社、一九八二年一月）を刊行している。

一九八一年四月の飯沼さんの退職後、その研究会がテーマを民族運動史にしぼって青丘文庫に引き継がれたのである。研究会の名前は、「朝鮮民族運動史研究会」、代表は姜在彦さん。

毎月一回、青丘文庫で開かれた。研究誌として、『朝鮮史叢』と『朝鮮民族運動史研究』があった。『史叢』は、一号（一九七九年六月）から七号（八三年六月）、『研究』は、一号（一九八四年六月）から一〇号（九四年一二月）が刊行された。

一九八七年四月、代表が姜在彦さんから水野直樹さんにかわった。

二〇〇一年一月、研究会の名称も「朝鮮近現代史研究会」に変更した。月報一五六号に、水野直樹さんの次のような巻頭言がある。

「朝鮮の近現代をさまざまな側面から考察することを趣旨として専門研究者だけでなく市民・学生など、関心を持つ人々なら誰でも参加できる研究会として運営していくつもりです。多くの方々のご参加とご声援をお願いする次第です」。

この研究会は現在も続いている。

10　「日韓・在日キリスト教関係史研究会」

実は、青丘文庫にもうひとつ研究会があった。「日韓・在日キリスト教関係史研究会」（以下、韓キ研）だ。代表が韓晳曦さん、事務局長が蔵田雅彦さんだ。第一回が一九八九年九月三〇日、会場はもちろん青丘文庫。クリスチャンのメンバーがいて、他の研究会のように日曜日開催ではよくないだろうと、第四土曜日の開催となった。

韓キ研は毎月の研究会と並行して、翻訳作業も進めた。完成したのが、『韓国キリスト教の受難と抵抗—韓国キリスト教史 一九一九〜四五』(新教出版社、一九九五年二月)。韓国基督教歴史研究所が発行した三部作の三冊目の翻訳だ。あと二冊も刊行の予定であると書いてあったような気もするが、そんなつもりはなかった? 日本で売れるのはこの本だけだろうと翻訳・出版したのである。そのほかにも、韓国で出版されたメンバーの徐正敏さんの『民族を愛したキリスト者たち』(教文館、一九九一年一月)もこの韓キ研のメンバーで翻訳した。

『月報』で韓キ研の発表記録をみると、金哲顕「私とキリスト教」(一九九〇年七月)がある。同志社大学卒業後韓国に留学中、スパイとして捕らえられ獄中生活を送った人だ。そういえば、そういう発表があったと、記録をみて思い出した次第だ。

韓キ研の最後の例会は、一九九四年一二月一〇日、杉本加代子「日韓のキリスト教受容比較」だ。会場はなぜか当時後藤聡さんが牧師をしていた曽根教会、忘年会でキムチチゲを食べた記憶が残っている。ちなみにこの研究会案内の掲載されたのが月報一〇〇号(一九九四年一二月)。同号には「『月報』もいつのまにか一〇〇号になりました。青丘文庫も設立して四半世紀になりました。民族と在日の両研究会終了後、恒例の忘年会」を開くとの案内がある。日時は一二月一八日、会場はオリエンタルホテル、飲み食べ放題三千円とのことだ。

恐れ入りますが、切手をお張り下さい。

〒113－0033

東京都文京区本郷
2－3－10
お茶の水ビル内
（株）社会評論社　行

おなまえ　　　　様

（　　　才）

ご住所

メールアドレス

購入をご希望の本がございましたらお知らせ下さい。
（送料小社負担。請求書同封）

書名

メールでも承ります。　book@shahyo.com

今回お読みになった感想、ご意見お寄せ下さい。

書名

11　「光州事件と韓国キリスト教」

一九九四年一二月、前述のように韓キ研が曽根教会で、在日と近現代史がオリエンタルホテルでの忘年会が開かれ、年が明けて翌九五年一月一七日に阪神淡路大震災がおこった。月報の案内によると一月二二日に民族、李卓、在日、金英達、二八日に韓キ研、金信龍の発表となっている。もちろん開催はできなかった。

震災後、月報一〇一号が発行されたのが、同年五月、韓皙曦さんが巻頭言に次のようにかかれている。

「以前に青丘文庫が在りましたエバグリーンビルは全焼して終いましたが、幸い須磨寺の青丘ビルは軽微な損壊で済みましたが、文庫は書棚が全部倒壊し、書籍は四方に散乱して足の踏み場も無いくらいで途方にくれていましたが、桃山学院大学の杉本さんが、学生・ＯＢ八人のボランティアをつれてきて下さり、半日掛りで書棚を立て直し、書物を一応入れてくださいました。その後、民族、在日、韓キ研の人たちが二回にわたって分類整理して頂き、どうにか復旧致しました。まだ休館中ですが、ゴールデンウイーク後には開館しようとおもっております」。

そして、「嬉しいこともあった」と、二月一六日に尹東柱の詩碑が同志社大学にできたことを報告されている。再開後の研究会は、一月に開催予定の李卓、金英達のレポートが、五月二一日に開催された。一月から四月まで、四回の研究会を休会にしたことになる。再開した研究会のあと、再会を祝して飲んだであろうが、それがどんな会であったのか記憶にない。

在日、近現代史ふたつの研究会は、別の日に開かれていたが、震災後、同じ日に開かれることになった。両方に参加するメンバーが多く、月に二回も文庫にくるのはしんどいということだったと思う。私は、韓キ研の方にも参加していたので、それぞれが別の日に開かれていた時には、月三回、文庫に行っていたことになる。これは、やりすぎだ……。

韓キ研は、一九九七年一月には韓国より金興洙さんら四名を招いて「一九八〇年光州事件と韓国キリスト教」をテーマに、韓国キリスト教史研究所と共催で研究会を開催している。

事務局長で韓キ研の推進役であった蔵田雅彦さんが一九九七年に亡くなられて、その後、研究会は休会となった。この研究会をひとつの流れとして、メンバーであった徐正敏、李省展、後藤聡らが作った「東アジアキリスト教交流史研究会」（二〇一三年一月発足、会長は李省展から徐正敏）に受け継がれている。

12　「工場なら建て直せる。しかし……」

阪神淡路大震災を契機に、文庫移転の話がスタートする。月報一〇二号（九五年六月）に再録された産経新聞（九五年五月二一日）に、少々微妙な韓晳曦さんの発言が掲載されている。

「公的機関への寄贈について、韓さんは「まだ公表する段階ではない」とはっきりとはいわないが、「工場なら建て直せる。しかし、文庫には金で買えない入手困難な資料も多く、燃えてしまえば取り返しがつかなかった。今度の大震災で、個人の維持・管理には限界を感じた」という。」

そして、翌九六年六月、青丘文庫の蔵書は神戸市立中央図書館に寄贈された。中央図書館に移った蔵書をみると、スペースが広い分だけ、少なくなったような気がするが、もちろんこれでいいのである。

13　月報巻頭言リスト

青丘文庫研究会では、長い間にいろんな人がいろんな報告をしている。それぞれに興味深い内容で、それらすべてを記録しておきたい。が、このエッセイではスペースの都合で無理だ。そこで、月報の巻頭言を書いたひとのお名前をすべて紹介することにする。複数回書いた人も一回だけ名前が登場する。あれ、私の名前がないという方は、大いに反省していただきたい。

韓晳曦、金森襄作、森川展昭、三輪嘉男、金静美、宋連玉、梁永厚、飛田雄一、谷合佳代子、堀内稔、伊藤悦子、李景珉、水野直樹、中島智子、飯沼二郎、姜在彦、鹿嶋節子、藤井幸之助、金英達、金慶海、鄭良二、原田環、蔵田雅彦、柳東植、中西智子、高木伸夫、松田利彦、藤永壮、浅野良純、金河元、佐野通夫、金基旺、伊地知紀子、横山篤夫、廣岡浄進、金景南、坂本悠一、林茂、福井譲、高正子、渡辺直紀、藤井たけし、張允植、出水薫、浅田朋子、田部美知雄、本間千景、河かおる、宇野田尚哉、梁相鎮、塚崎昌之、堀添伸一郎、山田寛人、青木正明、太田修、金隆明、山地久美子、稲継靖之、金誠、足立龍枝、斉藤正樹、高野昭雄、中川健一、玄善允、三宅美千子、吉川絢子、安致源、梶居佳広、砂上昌一、全淑美、鈴木常勝、本岡拓哉、李裕淑、小野容照、黒川伊織、渡辺正恵、池貞姫、川口祥子。

月報は、最初は『青丘文庫月報』、それが、一九六号（二〇〇五年五月）から『青丘文庫研究会月報』に変わった。これには、それなりの理由がある。

月報には右のように多くのエッセイが掲載されている。そのどれとは言わないが、在特会的グループからクレームがついたのである。神戸市に、エッセイの主張は神戸市の主張か、という具合であったらしい。そのグループは、よく公的機関にかみつく。神戸市は、ちがいます、勝手に彼ら彼女らが書いているのです、と回答したのではない。

神戸市の機関の、青丘文庫の月報だから、かみつかれるのだ。こまったものだ。では、青丘文庫研究会という民間団体が月報を出していることを明記しようと、『青丘文庫研究会月報』となったのである。

14　コロナ下の研究会

月報は、先に書いたようにスタート時は発行者・韓晳曦、編集者・金慶浩の発行体制だった。金慶浩さんが亡くなられたのち、三三号（一九八八年三月）から、発行編集・韓晳曦の体制が一〇九号（九六年五月）まで続いた（なぜか三四号だけ、発行・韓晳曦、編集・飛田）。一一〇号（九六年九月）から一二六号（九八年二月）までは、発行・韓晳曦、編集・飛田。韓さんが九八年一月二三日に亡くなられたのち、一二七号（九八年三月）からは、「図書室・神戸市立中央図書館内、編集人・飛田」と記載されている。

その後、右に書いたクレームによって、一九六号（二〇〇五年五月）から「青丘文庫研究会月報」となり、発行体制としては、「青丘文庫研究会（在日朝鮮人運動史研究関西部会・代表・飛田、朝鮮近現代史研究会・代表・水野直樹）」となり、現在にいたっている。以上、けっこうまじめに記録をみながら、まじめな記録を書いた。

姜在彦さんがよく、「飛田さん、月報の合本があるとうれしいなあ」と言われていた。一九七〇年代から発行している「むくげ通信合本」をほめてくださっていたので、その青丘文庫版を期待されていたのだと思う。姜さんにお見せすることができなかったが、そのうち?「青丘文庫月報合本」を作成したいと思っている。

今秋（二〇二〇年）発行の『在日朝鮮人史研究』五〇号に、太田修さんが、次のように書かれている。

「研究会で一番感心させられるのは、その場がある程度の緊張感を持ちつつも、どのような発言も〈自由〉になされるという点である。その〈自由〉は、相手を傷つけないという節度があるもので、縛られることがないものとでも言おうか。報告者と発言者が、在日朝鮮人史、あるいは朝鮮近現代史を語るなかに、それぞれの体験や生き様がにじみ出ているようにも見える。そうした語りが打上げのビールの席まで続いていく。筆者もなんとかその場から学び、別の研究会にも応用したいと思うのだが、なかなかむずかしい。研究会の参加者の問題であるから、いかんともしがたいことなのだが、それでもこの研究会のような〈自由〉な場をめざしたいと思っている。／そうした研究会の魅力は、同時に欠点でもある。若い世代がバトンを引き継がなければ場はなくなってしまう。それはそれでよしとするという考え方もあるが、あまりにもおしい。在日朝鮮人運動史研究会という稀有で魅力的な場を開いていくために、劣等生ながらも参加を続けていきたいと思っている。それから、いつか機会があれば研究会の歴史も聞いてみたい。どうぞよろしくお願いいたします。」

そうだ、研究会の自由な雰囲気が「欠点」でもあるのだ。そのことを自覚しているのではあるが、懇親会でビールを飲みながらワイワイしゃべっていると、そのことを忘れてしまうのである。でも、「いつか機会があれば研究会の歴史も聞いてみたい」という要望には、本エッセイで少しはお答えすることができたのではないかと思う。

コロナ自粛下の研究会、本年（二〇二〇年）前半は、神戸市立中央図書館が使えなかったので、「三密」を避けながら学生センターで開催した。この間、自粛下でも有志による研究会後の懇親会はしぶしぶ?、しぶとく続いている。

九月からの研究会は、図書館での再開となる。やはり、研究会も懇親会も、私たちに必要だ。

それなりにつづけていくことにしたい。

第6話　「六甲古本市」全?記録

1　第一回古本市

それは、平田哲牧師の言葉から始まった。

「飛田君、友人が高槻で古本屋をはじめたんだ。けっこうどんな本でも、ダンボールひと箱千円ぐらいで引き取ってくれるよ。」

これはいい。神戸学生青年センター（以下、センター）で古本市を開き、残った本はそこに引き取ってもらったらいい。一九九七年秋のことだ。ちょうど、阪神淡路大震災（九五年一月一七日）の被災留学生支援活動を契機にスタートした六甲奨学基金の原資が少なくなってきたので、なんとか資金作りを考えなくては、と思っていたときだった。そして開催した。九八年三月一五日、第一回目がスタートした。

センターの職員・ボランティアで、どのくらい売れるか？ 賭けをした。少ない人は二〇万円、多い人（私）で五〇万円ではなかったかと思う。終了した。なんと八〇万円だった。私が賭けにかったことになるが、賞品はうけとっていない。古本市、これはいける。

さて、終了後、残った本の引き取りをお願いすべく、平田先生に連絡をとった。すると、その古本屋はつぶれたとのこと。仕方なく、古紙回収業者に依頼した。こちらがお金を払うのだ。一トン三千円、確か三トン、九千円を支払ったと思う。ショックだった。

翌年からは、アジア図書館（アジアセンター21）にガソリン代一万円を払うので引き取りに来てくれないかと依頼した。ＯＫとなった。うれしかった。環境問題にとりくむセンターとしては、古本とはいえ「融解」処分（おそらく）することに、心が痛んでいたのである。古本市の第一の問題は残った本をどうするかなのである。

2　古本屋に人気の古本市

第二回古本市は、一九九九年三月～五月、それ以降、ほぼその時期に開催している。

古本は、集まる。本好きな人は多くいるが、古本屋にもっていったらまさに「二束三文」。私もブックオフに二、三〇冊ほどもっていったことがある。二つの山に分けて、こちらはいりません、こちらは一〇冊で四〇〇円という感じだった。「きれいな新本は定価の二、三〇％で買い取ります」はウソだった。残りの本は持って帰りますか、いりません。他に行くところがあったのだ。これで終わった。もう二度と、ブックオフにはいかない。

こんなことなら、留学生支援のセンター古本市に寄付しようという方がおられるのである。ありがいことだ。

センター古本市では、それぞれの本に値段をつけない。量があまりにも多いのでそれは不可能だ。一律に単行本三〇〇円、文庫新書雑誌児童書は一〇〇円だ。でも……、三〇〇円で販売するにはあまりにももったいない本もある。実際に古本屋にもっていって二、三千円で売って売り上げとしたこともある。また、はじめてヤフーオークションにもチャレンジして、四、五千円で売ったこともある。が、やめた。そのままだすことにした。そんな本は、だしたら即売れる。新版の広辞苑ができてきたこともある。掘り出し物をもとめて毎日のようにきてくださる方もいるので、そのままだしている

初日は、すごいのだ。開店と同時に列ができる。プロがくるのだ。一日で、四〇万円ほど売れたときもある。週に一回程度くるプロもいる。スマホより小さい、バーコード読み取り機をもって、ものすごいスピードでバーコードを読み込んでいる。瞬時に価格がでるようだ。おそらく五〇〇円から一〇〇〇円で売れそうな本を、一〇〇円、三〇〇円で買っていくのだ。プロでもお客様はお客様、大歓迎だ。ある時、初日にあらわれて、岩波新書を大量に買い込む人がいた。大きな山をふたつ作っている。聞いてみると、それらが絶版本とのことだ。プロはすご

い。

3　ダンボール本棚の威力

なかには悪い客もいる。ボランティアが注目していた客が、チャリンと料金箱にお金をいれて出ていった。追いかけた。そして本代を計算した。足りない。料金箱をそのために?、空にしていたのである。観念して代金を払った。その人はその後来ていない（と、思う）。

古本屋を開業するのに「古物商」の許可がいると聞いて警察に行った。趣旨を説明すると、そのような目的の古本市には許可は不要です、大いにやってくださいとのこと。せっかくきたので許可証が欲しかったが、くれなかった。

古本市は年に一回、三月一五日から二か月間。本棚を保管する場所も問題となる。新しい本棚購入も躊躇する。毎年分解すると、組み立てもまた大変だ。そこで考えついたのが「ダンボール本棚」。ダンボールをガムテープで貼り合わせ作るのである。年々そのダンボール本棚が多くなった。当初、同じ大きさのミカン箱を集めるのも大変だったが、全国各地から送られてくるものを毎年毎年集めてだんだん大きいものを作った。なぜか、ミカン箱でも大きさにばらつきがあるので同じ大きさのダンボールを集めるのも苦労なのだ。

一番大きいダンボール本棚は、横八箱、縦六箱、計四八箱という巨大?なものだ。ダンボールは、穴をあけて紐をとおすのも容易だ。固定するのにも都合がいい。元センター朝鮮語講座生徒の森崎和夫さんは、海外引越の専門家、ダンボールのプロだ。本職の家具を梱包することに比べたら、四八箱の本棚なんて朝飯前だ（への河童という言葉もあったな、死語か）。そして終了後、翌年にそなえて二五〇から三〇〇ほどのダンボールを要領よく、セットにして保存してくれる。飛田および森崎さんのブログに、ダンボール本棚作成の奥義が掲載されている。

文庫新書はロビーの一角で常設している。手製の文庫本専用本棚は林榮太郎さんの作品だ、私の自転車の師匠でもあり、元東急ハンズの木工担当、隙間家具専門？職人。この本棚をまじまじと見つめる客もいる。

二〇〇九年、札幌の古本屋で書棚が倒れて客が死亡するという事故があった。センターにも緊張が走った。確かに、こわい。その時、更に鉄パイプを増やして増強した。

４　新聞折り込み広告の効果

売上の最高記録は、四四〇万円、二〇一一年だ。東日本大震災がおこり、被災留学生支援のために一〇〇万円を送ると宣言し、更に本を集め、更に売った。この記録はいまだに破られていない。

年々売り上げを伸ばした古本市だが、その理由のひとつは、新聞折り込み広告だ。センター関係者が買いに来てくれるだけでは売り上げが伸びない。いろんな人がいろんな本を買いに来てくれるから、たくさんの本が売れるのだ。二〇〇〇年、新聞折り込み広告をしてみようということになった。「折込チラシ三千（朝日）一万（読売）」という記録がある。折り込み広告の費用は、一枚、二円八〇銭（おお、「銭」久しぶりだ、縦書きだから使ってみた）。それに印刷代が必要だ。

効果はあった。それまでセンターに来たことのない人が来てくれた。三月初めに折り込み広告を入れて、古本市のスタートは三月一五日。古本の回収は三月末までなので、古本持参で本を買いに来てくれる人もいる。折り込み広告が少し遅れると、今年もするのですかと電話をしてくださる方もけっこういる。

ここ六、七年枚数を増やし六万枚となっている。だいたい神戸市の東部、灘区東灘区のＪＲ以北にはほぼ配布している。神戸、朝日、毎日、読売、産経だ。最初はそれぞれの新聞配達所にもっていった。が、各新聞社は広告に関して（は?）、連携がとれていて、ひとつの新聞社にまとめて納品し、地域を指定すればＯＫだ。センターの場合は、神戸新聞に一括納品している。二万枚レベルのときには、ボランティアに依頼してセンターの印刷機でやっていた。今はセンターご用達の印刷屋（ミウラ印刷）に印刷・納品を依頼している。自分のところで大量のチラシを印刷するのは、いくら最新鋭の印刷機でも大変だ。

古本市の、最高の近所のお客さまがいる。毎年、一〜二〇〇〇冊の文庫本を購入し、翌年その文庫本を寄付してくれる。一年分の本を買ってくれているのか？、うれしい。

折り込み広告と、もうひとつ効果があったと思うのは、「旗」だ。街でみかける「ラーメン」あるいは、選挙のときの「のぼり」だ。これはよく「桃太郎作戦」と言われている。センターの最初の旗は、鹿嶋節子さん手作りのものだ。大きな目立つ文字の入ったもので、センターの入り口にひるがえっていた。翌年、インターネットで業者に頼み、七、八本作った。センターの周囲に三、四本、それに、阪急六甲駅前にも建てた。すぐに自治会の方から？クレームがきた。ふむ、あたりには不動産屋の旗がたくさんあるのに、センターのだけがだめなのか？

なので、歩道のポールに直接針金でつけるのではなく、コーナンで買ってきた塩ビ管をまず取り付け、その塩ビ管に旗をさしこんだ。夜になると旗を外した。そのうち、夜も外さなくなった。そして、それは、期間中そのまま、あった。

5　古本市成功のための三大法則

古本の販売促進、それにはいくつかの「法則」がある。

その一、「分類すればそれなりに売れる」。センターの環境プログラム関係者らしいひとが、たくさんの環境関連図書をだしてくれた。本棚に入れずに、箱に入れてそのままだした。ある客人が、その箱から本を抜いている。その本を買うのかと思ったら、残っている本を箱ごと買ってくれた。自分のもっていない本を買ってくれたのだ。うれしい。

神戸大学の留学生の爆買いもあった。インドからの留学生で、インドと名のつく本は、旅行でも料理でもなんでも全部ほしいという。日本学専攻の留学生だったが、日本で、インドがどのように紹介されているかも研究している。あるいは、帰国後に紹介するためのものかもしれない。留学生は、半額で購入することできる。文庫等五〇円、単行本一五〇円だ。よろこんでたくさん買ってくれた。こちらも、うれしかった。

ボランティアには本好きのメンバーが多い。最近は一般書店なみの分類がされている。文庫本は、作家名五〇音順にならんでいる。その文庫本コーナーでは、司馬遼太郎コーナーからの買い占めなどもある。


第二の法則、それは、たくさん陳列することだ。本がたくさんあるから売れる。選んで買う快感があるようだ。ボランティア団体の小さな古本市で、売れないという悩みをよく聞くが、やはり「量」がものをいうみたいだ。センターは、古本市で資金を稼ぎたいというボランティア団体から、羨望の目でみられている。それにも答えなければと、古本市の終盤に、本を贈呈・寄付することもある。自分たちの古本市のためにダンボール五箱とか、もっていくことになるのだ。その逆に、毎年自分たちの開いた古本市の残りを、どさっと持ってきて下さる団体もある。

海外の大学に贈呈することもある。韓国のふたつの大学に、各ダンボール五〇箱程度を送った。送料が問題となるが、海外に安く送る方法も発見した。コンテナの二分の一、あるいは三分の一を購入するという方法だ。専門業者が書類を作成してくれる。あとは、ポートアイランドの事務所にもっていくのだ。釜山港預かりで、向こうの大学がそれをとりに来る。値段は覚えていないが、ダンボールひと箱あたりでは、国内宅急便より安かったような記憶がある。

中国の大学にも送ったが、それは大変だった。中国は、本の題名を目録化して、当局の許可を得る必要があるのだ。そのために頑張った方は本当に大変そうだった。ごくろうさまでした。

最初のころ、たくさん残る本をすこしでも現金化したいと、最後に古本業者にきてもらったことがあった。雑本ばかりだ、とさんざん文句をいいながら、大量の文庫本を詰め込んだ。全部で千円ということだった。それから、業者に声をかけるのをやめた。お金にならないし、その後引き取ってくれるアジア図書館に申し訳ないからだ。

古本市を支援してくれる古本屋さんもいた。二〇〇九年、本の集まりがよくなかった。大阪の日之出書房の郭日出さんが約五千冊寄付してくれた。本当に助かった。

第三の法則、あえてつくるなら、ときどき本を総入れ替えすることだろう。バックヤードから本が売れる度に新しい在庫を補充するが、時には、総入れ替えが必要だ。常連客を時々に、あっ！、といわせる必要があるのだ。

また、ここでは書きにくいことだが、毎年、新品の辞書がけっこう集まっていた。中学高校には毎年、辞書出版社からサンプルが届くらしい。某学校の某先生が、毎年それを持ってきてくれた。ボランティアはそこに貼られた出版社のラベルを丁寧にはがす。ほんとに新品だ。辞書コーナーに展示すると、すぐにうれる。三〇〇円なのだから……。その某教師が退職した。それがなくなった。さびしい。

6 「パチもの」も販売？

募集していないものが集まることもある。ビデオ、CD、DVD、ときにはLPレコード。売ることのできない「パチもの」（わかるかな？）以外は、売った。けっこう売れた。すべて一〇〇円、ツタヤより安いとクラシックCDを買い占める人もいたし、LPレコードにもマニアがいるのである。CDが売れることが分かって途中から集めるようになったが、最初は集めていなかったのだ。

コロナの最近、毎日のように通ってきて漫画を読んでいる子どももいる。私は、昔の「貸本屋」を思い出しながらその姿を見ている。スタッフ、ボランティアもその子たちを見ている。が、貸本屋を知っている人は私だけのようだ。いいだろう。換気には気をつけてやっている。

７ コロナ下の古本市

以上、店主として古本市をふりかえってみた。当初、売り上げを伸ばしていたときは、来年こそは、五〇〇万円突破といっていた。達成しそうな勢いがあったが、それはなかなかむつかしい。でも、毎年四〇〇万円程度販売する古本市は、それなりのものだ。

毎年六名（一〇名の年もあった）の六甲奨学基金、月額五万円、返済は不要だ。古本市がなければ、すでに消滅していた。大震災時、留学生支援が一段落したころ、日本ＤＥＣからの寄付一〇〇〇万円と支援金の残金三〇〇万円をあわせて一三〇〇万円でスタートした。毎年一〇〇万円をとりくずし、一方で毎年募金一〇〇万円を集める。当初はこの合計三〇〇万円で、五名分の奨学金を支給する計画だった。一三年続くはずだったが、募金の方が減ってきた。どうもこのままでは四、五年で終わりそうだった。それを救ったのが古本市だった。古本市のおかげで、まだ奨学金は続きそうである。

今年は、コロナ禍での古本市、終了予定の五月一五日はそのまっただ中だった。本棚撤去のボランティアも期待できず、延長となった。八月末まで継続し、三二〇万円の売り上げがあった。上等だろう。自粛生活用に古本を買いに来た方もおられたようだ。

来年（二〇二一年）四月からセンターは新しい場所での活動が始まる。古本市の形態は変わるだろうが、継続の予定だ。またお立ち寄りいただきたい。館長時代、仕事にならないので古本市の本を見ないことを課していたが、昨年（二〇一九年）九月、退職した。出世して?、理事長となった。時間はできた。解禁だ。いよいよ客として古本市をウロウロする。楽しみだ。

第7話 ゴドウィン裁判―初・原告団長の記

1 くも膜下出血で緊急入院

「飛田さん、神戸の市民税を払っている人が原告になってくれませんか」。指紋押捺裁判などでお世話になっている弁護士からの電話だった。断りにくい、承諾した。たくさん？市民税を払っているわけではないが、それは関係ないらしい。

スリランカ人留学生ゴドウィンさん（一九六一年五月生まれ）の治療費をめぐる「事件」だ。ゴドウィンさんは、神戸ＹＷＣＡの日本語学校に留学中、くも膜下出血で倒れた。一九九〇年三月のことだ。運よく友人が発見して海星病院に入院させた。緊急手術が必要で神戸大学病院に移された。手術は成功した。普通なら、よかったね、とこれで終わる。

が、その治療費が問題となった。保険に加入していなかった彼の治療費は一六〇万円。本人にも友人にもそのお金がなかった。友人がいろんな人に支援を求めて、最終的に神戸市灘区の福祉事務所にたどりつき、生活保護でその治療費が支払われることになった。生活保護費は、四分の三を国、残り四分の一を地方自治体が支払うことになっている。政令指定都市の神戸市は四分の一全額を支払い、その他の都市はその部分を都道府県と折半するのである。

ゴドウィンさんに生活保護で治療費が支払われることになったと新聞に報道された(一九九〇年五月二九日、毎日新聞)。これがいけなかった。当時の厚生省が、留学生への生活保護適用はよろしくないと神戸市に圧力をかけたのだ。ゴドウィンさんの治療費一六〇万円の四分の三、国の負担分一二〇万円の支払いを拒否したのである。

神戸市はこれに抵抗できなかった。そのお金は神戸市が負担することになった。ここで神戸市民の出番となる。この一二〇万円は本来国が支払うべきもので、神戸市が払うべきものではない。私の市民税がその一二〇万円の一部になっているのはおかしい、許せないということになる。くりかえすが、私の市民税が、その中のいくらであるかは関係ない。

日本政府は実質的に外国人を労働者として受け入れているのに、移民政策をとっていないという。が、労働力が不足するときには何とか理由をつけて都合よく外国人を受け入れるのである。一九九〇年当時は、ブラジル、ペルーなどから日系人を受け入れようとしていた時代だ。外国人が日本に入ってくることはいやだが、日系人ならいいのではということだったようだ。その日系人などに生活保護を適用したくないと考えたようだ。そのような時期のゴドウィンさんの新聞記事で、厚生省が横やりをいれたのである。

２　「口頭通知」

外国人への生活保護適用についての「通知」はひとつだけある。一九五四年五月のものだ。適用しようとするときにはその外国人の属する国の大使館に問い合わせをして、援助がうけられないときには適用するとある。朝鮮人、台湾人については、その大使館への問い合わせも不要とされている。強制送還されることになった外国人が仮放免となったときにも生活保護が適用される。緊急医療の場合は、不法滞在者でも適用されるとなっている。

ゴドウィンさんのケースは特段、拒否すべきものではないと思うが、日系外国人の増大等を考えて拒否したのである。その根拠は何か？　一九五四年の通知を改訂するのは目立つのでよくない、ではどうしようかと役人が考えたのが「口頭通知」である。

同年（一九九〇年）一〇月二五日、地方の生活保護担当者を集めて「口頭通知」を行った。生活保護は留学等の外国人にはなじまないもので、「永住者・定住者」に限るとしたのである。当時、日本各地に外国人を支援していたグループの間で、この口頭通知は衝撃を与えた。「最後の砦」の生活保護が適用されないとなると、困るのだ。ゴドウィンさんへの生活保護からの除外が先例となれば外国人に命の危険が生じるのである。誰か神戸市民が裁判をしなければならない。キリスト教関係団体のネットワーク「神戸NGO協議会」（一九八六年二月結成）のメンバーなどが原告になった。草地賢一さん（PHD協会）、寺内真子さん（神戸YWCA）、竹本睦子さん（キリスト教婦人矯風会）、藤原一二三さん（牧師）と私。私が原告団長となった。事務局長専門の私としては、団長は珍しい。この裁判のための会が「外国人の生存権を実現する会」（九二年二月一三日結成、代表・飛田、以後「実現する会」）だ。仰々しい名前だが、それが私たちの意気込みだった。生存権は憲法二五条で保障されている「最低限度の生活」だ。生存権＝生活保護と言ってもいい。

この種の事件では裁判がすぐに始められないらしい。まずは「住民監査請求」（一九九一年一一月二七日）。神戸市のお金の使い方がおかしいのでないかと監査請求をして、それが「おかしくない」ということになれば、裁判となる。九二年二月一四日、提訴した。第一回公判は、同年六月三日、神戸地方裁判所で開かれた。弁護士は、原田紀敏さん、林晃史さん、菅充行さん、小山千陰さん、梁英子さん（梁さんは控訴審から）。

実現する会は、裁判の過程で熱心に勉強した。ほんとによく勉強した。勉強会は以下のとおりだ。

「国際人権規約と在日外国人の人権」（芹田健太郎さん、九二年四月二七日）、「在日外国人と生活保護」（庄谷怜子さん、九三年三月四日）、「日本国憲法と在日外国人の生活保護」（棟居快行さん、同年四月二七日）、「外国人に対する生活保護の適用」（高藤昭さん、九四年八月三日）。

庄谷怜子さん、高藤昭さんにはその後、専門家としての鑑定書も出していただいた。

3　生活保護は最後のセーフティネット

この裁判は民事裁判で、原告は私たちだ。事件を起こして訴えられる刑事事件ではない。民事事件でも借金をめぐる個人間の争いではなくて行政事件、行政を訴えるのだ。このゴドウィン裁判の場合は、神戸市の財政支出一二〇万円が間違っているというものだ。本来は国（厚生省）が支払うべきお金を神戸市が支払っているのがおかしいというものだ。神戸市長を被告にして、国から一二〇万円を取り戻せという裁判も可能だ。でも今回、悪いのは国だ。そこで、国は神戸市にそのお金を支払えという裁判をすることになった。

たとえば、〇〇市長が△△社長に□□円分の便宜供与をしたとすると、〇〇市長に△△社長から□□円を返してもらえという裁判もできるし、△△社長を相手に〇〇市長に□□円を返せ、という裁判もできるのである。ゴドウィン裁判の場合は、この△△社長が国になるのだ。よけい分かりにくいたとえ話となってしまったかもしれない。先に進む。

生活保護は最後のセーフティネットだと言われている。「万策尽きた」ときにこれによって命をまもるのである。万策とは他の行政施策だ。庄谷怜子さんは、この最後のセーフティネットが生活保護の基本で、これが働かなければ生活保護＝生存権の意味はないと言われる。

が、国側の証人として登場した元厚生省生活保護課長・炭谷茂さん（九四年八月三日）はそうでないと言う。

九〇年一〇月に口頭通知によって新たに言い始めた「生活保護は永住者・定住者に限る」が、従来からずっとそうだったと言い張る。私たちがそうでないでしょう、〇〇の事例はどうですか、△△の事例はどうですか、□□の事例はどうですか、永住者・定住者でないでしょうと質問すると「知らない」「知らない」というのである。

先に紹介したように外国人への生活保護適用についての通知は一九五四年のものしかないが、仮放免の場合でも可能だとしているのである。

一九九二年六月三日が第一回裁判。私は意見陳述をした。そのむすびは、次のとおり。格調が高い（かな？）。

「国籍をこえて人権が保障される社会が理想的な社会であることは疑う余地がありません。日本は一九七九年に国際人権規約を批准し、一九八一年に難民条約を批准しました。そしてそこに書かれている内外人平等の原則が日本社会に貫かれているはずです。ゴドウィンさんの生活保護適用にたいしてそれにストップをかけることは、これらの流れに逆行するものであると思います。国際化が叫ばれている今日ですが、ゴドウィンさんのケースは、そのような意味で日本社会の国際化の度合いを調べるリトマス試験紙であろうと思います。／裁判所の賢明なる判断を期待しています。」

4　Basic human needs

もうひとつの重要な論点が「緊急医療」の問題だ。ゴドウィンさんのケースはまさにこれにあたる。

先の一九五四年通知では、「有効なる在留カード又は特別永住者証明書を呈示しなければならない」とあるが、「外国人がその呈示をしない場合若しくは実施機関の行う保護の措置に関する事務に外国人が協力しない場合は如何にすべきか」という設問を設けている。（『令和元年版 生活保護関係法令通知集』、中央法規、二〇一九年一一月にも引き続き掲載されている）

答えはこうだ。「申請者若しくは保護を必要とする者が急迫な状況にあって放置することができない場合でない限り、申請却下の措置をとるべきである」。すなおに読むと、「急迫な状況」であれば生活保護を適用するということだ。

裁判での提出資料のひとつに『外交フォーラム』（一九九一年八月）がある。この号は「地球規模の難民問題」の特集で、労働省、外務省も文書をのせている。外務省の領事移住部外国人課審査官・菊池龍三は、以下のように書いている。

「生活保護法の適用についても、緊急保護を必要とする外国人が治療費を支払う能力がないような場合は、病院をたらい回しされるような事態を防ぐため不法就労者であるか否かを問わず生活保護法を適用し、医療扶助を与えるべきで、不法就労者であることによる退去強制はその後で考えるべきであろう。」

阪神淡路大震災関連で、九六年二月二三日、神戸外国人クラブで外務省の役人との懇談会があった。そのとき私は、この『外交フォーラム』にある外務省の見解は、今もそのとおりかと質問した。答えは「そのとおり」とのことだった。

国際人権規約、難民条約などに直接的な関連をもち、国際的な人権状況についてある程度理解のある外務省は、厚生省とちがってよく分かっている。国際的には言ってはいけないことがあることを、外務省は知っているのだ。

弁護団の菅充行さんは、国際人権法に詳しい。最終準備書面のなかで、次のように主張した。

「社会権規約委員会によれば、社会権規約に定められた権利の中でも、人間にとっての基本的必要性（Basic human needs）に当たる部分は漸進的達成義務では足らず、即時実行義務があると解されている。基本的食糧を得る権利、基本的な健康の保護を受ける権利、基本的な雨露をしのぐ権利又は住居に関する権利、基本的な教育の権利等は、社会権規約に定められた権利といえども即時実現されるべきものとされている。」

これは国連人権委員会の「一般的意見（General comments）三・一〇項」（一九八九年一一月二一日）によるもので、日本政府が国際人権規約の社会権については「漸進的」に進めたらいいとしていう日本政府の見解に対する反論である。命の危険があったゴドウィンさんへの生活保護適用が、即時実現されていなければならないものだ、ということだ。

ゴドウィン裁判を支援してくださった龍谷大学の中村尚司さんは、スリランカで研究中にテング熱で入院したことがある。「退院の日、医療費を払おうとしたら、「この国では医療は無償です。外国人だからといって医療費を請求できません」と断られた」（「外国人労働者の急迫医療」、『からだの科学』一九九二年七月号）という。そして、「一人当たりの国民所得が、日本の五〇分の一にも達しないスリランカで、外国人の無料診療が行われている。人民の基本的な権利を規定するさい、日本国憲法が「すべての国民は」を記すのに対して、「すべての人は」とか「いかなる人間も」という表現を用いている」と記されているとのことだった。

当時、京都でもフィリピン人のブレンダさんが、くも膜下出血で緊急入院（一九九一年三月三日）してのち、支援運動を展開していた。運動はブレンダさんの帰国（同年八月二九日）後は、「ブレンダ事件を端緒に、非定住的な外国人の緊急医療と生活を考える会」（略称・ブレンダ会）として活動した。私たちは、緊急入院したときに困る、第二第三のゴドウィンさん、ブレンダさんを作らないためにともに活動した。

京都で実現する会とブレンダ会との合同会議が竹下義樹弁護士の事務所で開かれたことがある。竹下さんは山口組組長を訴えたりした「武闘派弁護士?.」として有名な全盲の弁護士だ。NHKの「仕事の流儀」にも登場した。

会議後、竹下さんが「飛田さん、私は残業するから電気を消して帰って」という。「?.?.?.」。全盲の彼は、ときどき電気を消し忘れて?.家に帰ってしまうという。いや、びっくりした。全盲とは、こういうことなのだ。

私は全盲の学者・慎英弘さんとも飲み仲間だが、ある日、「きょうは、ボランティアしてきた、疲れた」という。講演会で、ヘレン・ケラーのように目耳が不自由な人の通訳をしてきたのだという。手のひらに六本の指で点字を入れるという。そのような通訳をできる人はそう多くないとのことだ。私はその慎さんから盲人との歩き方を習った。習うといっても、腕をとり半歩前を歩くだけだ。慎さんは、この超基本的なことを教えない小学校教育をいつも嘆いていた。こんなことこそ、教えないといけない。私もそう思う。

偶然、慎さんと京都駅のホームで会った。取り巻きの三、四人が、「あなたは友人ですか、それではよろしく」と帰ってしまった。なんと冷たい人たちだと思ったが、慎さんに聞くと、駅前で迷っていたらホームまで連れてきてくれたのだという。仕方ない。酒飲みの慎さんはときどき?.、こんなことがあるという。二、三〇〇曲、そらんじて歌えるという慎さん、今度はカラオケもといいながら、いつも飲みすぎて終わってしまっているが、次回は勝負しよう。

5　孫振斗さん、生活保護、ゴドウィンさん

もうひとつの論点、仮放免中の生活保護関連で、以前かかわった孫振斗裁判が関連したことも面白かった。

孫さんは、一九七〇年一二月、韓国から密入国して逮捕されたが、そのとき、「自分は原爆被爆者だ、日本政府の責任で治療してほしい」と主張した。そして、原爆手帳を求める裁判となったのである。孫振斗裁判は、親族以外の証言者がいることなどの要件をみたしている孫さんに、原爆手帳が交付されるべきあるという判決が福岡地裁でだされ（七四年三月三〇日）、それが最高裁でも確定したのである（七八年三月三〇日）。完全勝訴の裁判で、その後の在韓被爆者救済に道を開いた画期的な裁判であった。

孫さんは病気治療のため仮放免となったが、すぐに生活保護が適用された。裁判の過程で、孫さん側が、生活保護はＯＫなのに原爆手帳はなぜだめなのかと問うた。そのとき国は、生活保護はＯＫだけれど、原爆手帳はダメだと回答したのである。

一九七〇年代の孫振斗裁判では、次のように主張していたのである。

「生活保護法は日本国民のみに適用される（同法一条）であるからこそ、「生活に困窮する外国人に対する生活保護の措置」は外国人に対し、生活保護法に準じた取り扱いをしていることとなるものであるが、そもそも生活保護はいわゆる最低限度の生活を維持されるものであって、例えばまさに飢えようとしている外国人に対してこれを放置することは人道上許されないところから、当該外国人が日本国内に居住関係を有すると否とにかかわらず、当該外国人に対して最低限の生活を維持できるように措置しているのである。かかる理由から、日本国内に居住関係を有しない原告（孫振斗）に対しても右の措置が講じられたのであるが、原爆医療法や原爆特別措置法は、原子爆弾の被爆者の最低限の生活保障というよりは、より積極的な社会保障を目的としているのであるから、右二法が外国人に適用されるためには、当該外国人が日本国内に居住関係を有することが必要である。」（『判例時報』七三六号）

つい熱心に読んでしまった。「。」が少なく悪文だ。引用が長すぎたが、孫振斗、ゴドウィン、ふたつの裁判にかかわった私は、笑ってしまった。厚生省は法律の整合性を考えないのか、と、しろうとの私はおおいに憤慨したのであるが、「ああいえばこういう」式なのかと思った。

6 「法律をもって、外国人の生存権に関する何らかの措置を講ずることが望ましい」

原告の藤原一二三さんは、聖書のイエスの「百匹の羊」のたとえ話を引用しながら次のように最終意見陳述をした。

「このたとえ話を日本本土に限定して読みますと、この場合九九匹の羊は日本国籍のある者、または法の保護を受けることのできる者となり、ゴドウィン・クリストファは失われた一匹の羊と理解されるでしょう。／私は人間の生命に関しては、国家や民族や信条の違いを越えて平等であると信じていますし、その意味では地球上の人間の生命全体は百匹の羊と受け取るべきだと思っています。」（一九九五年三月二七日）

第一審（神戸地裁）は、けっこうがんばったが、負けてしまった。同年六月一九日だった。「市に代わって住民が国に国庫負担金を請求するのは不適法」とする「却下判決」だった。私たちが主張した、ゴドウィンさんへの生活保護適用の正当性に関する判断を避けた、門前払いの判決だった。しかし、ゴドウィンさんのようなケースに生活保護が適用されないことは問題であると考えたようで、判決文は、最後で次のように述べた。

「外国人が同法（生活保護法）によって具体的権利を享有していると解することはできない。／しかし、これは、現行法上、外国人が同法の定める具体的な権利を享有しているとまでは解釈できないというにとどまり、憲法並びに経済的、社会的及び文化的権利に関する国際規約、市民的及び政治的権利に関する国際規約等の趣旨に鑑み、さらに、健康で文化的な最低限度の生活を営む権利が人の生存権に直接関係することも併せ考えるとき、法律をもって、外国人の生存権に関する何らかの措置を講ずることが望ましい、特に、重大な傷病への緊急治療は、生命そのものに対する救済措置であるから、国籍や在留資格にかかわらず、このことが強く妥当する。」

そうだそうだ。裁判官の辻忠雄さんに拍手を送りたい。

しかしつづけて、「右のような措置を講ずるか否か（中略）、専ら国の立法政策にかかわる事柄であり、直ちに司法審査の対象となるものではない」という。これは、残念至極だ。

もちろん、大阪高等裁判所に控訴した（九五年六月二七日）。高裁では、同年一一月九日、一度だけ公判が開かれ、翌九六年七月一二日、「控訴棄却」判決がだされた。当然、最高裁に上告したが、九七年六月一三日、「上告棄却」となった。

7　子どもたちに英語を教えるゴドウィンさん

裁判には反響が大きく、私もテレビにでたりした。読売テレビが外国人の医療問題をとりあげ、私も出演した（一九九二年二月一四日）。それなりにいい番組だった。その日はちょうどゴドウィン裁判を提訴した日でもあった。ゴドウィンさんの映像がないかとテレビ局にいわれて探した。あった。友人の越智清光さんが、提供してくれた。自身が主催する団体のボランティアとしてゴドウィンさんが参加したことがあり、そこで彼が、子どもたちに英語を教えたり遊んだりしている映像だ。その映像も流された。

また、ゴドウィン裁判は、外国人労働者支援、生活保護等に関連するテーマで、その頃私は、その関連の集会によく出かけた。神戸市内で病院のＭＳＷ（メディカルソーシャルワーカー）の会にも参加した。ＭＳＷという存在自体もそれまで知らなかった。盛岡での「公的扶助研究全国セミナー」（一九九二年一一月五日～七日）にもでかけた。そのセミナーの冊子が資料の中からでてきたので久しぶりに見た。私は一四の分科会のうちの「外国人問題」に参加し、報告もしている。高山敏雄さん（墨東病院ＭＳＷ）、觜本郁さん（神戸市職員）もいっしょだった。三人で、飛田が事前に予習したサンマの刺身の店を探しあてて、食べて飲んだらおいしかった。觜本さんは、神戸市の生活保護ケースワーカーだったが、ゴドウィン裁判に加わったためその担当から外されてしまった。悪いことをしたが、私が悪いのではない。

ゴドウィン裁判は、研究テーマとしても注目された。資料をダンボールごと貸し出すこともあった。法政大学博士論文で外国人の生活保護問題を書いている大澤優真さんは、お貸しした全資料をＰＤＦファイルにして現物といっしょに返却してくれた。ありがたい。博士論文の一部は、「地方自治体による外国人保護」（『社会政策』二〇二〇年六月）として発表されている。私は「収集魔」とまではいかないが、収集「癖」がある。このように利用されることは大変うれしいことだ。

他にも、べ平連神戸の資料は黒川伊織さん（神戸大学から大阪大学）、孫振斗資料は高谷幸さん（岡山大学から大阪大学）、指紋押捺拒運動資料を同志社大学の金宥良さんが利用してくださったりしている。他にまだダンボールセットがある。ぜひ、ご利用いただきたい。そのさい、ＰＤＦファイルに変換してくれるともっとうれしい。

今回、ゴドウィン裁判の資料をいろいろ見た。資料集を四巻まで出したが、在庫がない。そこで、それらをＰＤＦファイルにしてホームページに貼りつけた。ゴドウィン裁判の会の正式名は、「外国人の生存権を実現する会」、検索してくだされば入手できる。「ゴドウィン裁判の会」であれば裁判が終了したら、解散か改名をしなければならないが、幸い、「実現する会」はそれが実現していないので、まだ継続中だ（少なくともホームページ上で）。

8　阪神淡路大震災外国人支援とゴドウィン裁判

外国人の生存権を実現する、これは本当に大切だ。実は、裁判に負けたことにより、重大な問題も生じている。生活保護は最後のセーフティネットだ。ということは、それがないのでアウトの場合もある。ゴドウィン裁判以降、厚生省が永住・定住者以外に生活保護を適用しないとしたため、各地の自治体は、それまで適用していた生活保護を適用できなくなった。活字には（パソコンは活字か？）しにくいが、明治時代の行路病人法で救おうということになった。急病になったとき、アパートに救急車を呼ぶと具合が悪いので、別の「行路」らしいところに救急車を呼んだりすることもあったと聞いている。またゴドウィンさんのケース以降、一九九一年三月から国民健康保険の適用を、向こう一年間有効なビザを要件としたため、保険に加入できなくて困ったこともある。某自治体はそれでもなんとか？加入できるという情報を得て、当該外国人を引っ越しさせたということもあるらしい。私は、うわさを聞いただけであるが……。

一九九五年一月の阪神淡路大震災のときには、また、外国人の医療問題が生じた。ゴドウィン裁判に勝利していれば、なんの問題もなかったはずだが、そうではなかった。瓦礫に閉じ込められてクラッシュ症候群となり、集中治療室での費用（三〇〇万円）が払えないという外国人もいたのである。しかたなく、「災害救助法」の緊急医療支給で、行政と交渉することになった。そして、それなりの「解決」をみたことは、本コロナ自粛エッセイ（その二）「阪神淡路大震災の記録」で書いたとおりである。

在日コリアンの問題にかかわった人が、「ニューカマー」（在日朝鮮人ら「オールドカマー」と比較していわれている）外国人の問題につながるのがうまくいかなかったという話もある。幸い私は、ゴドウィン裁判のおかげで、スムーズにオールドカマー問題からニューカマー問題に入っていったことになる。ちなみに、このオールドカマー、ニューカマーは和製英語で、英語圏ではまったく通じないとのことだ。

ゴドウィンさんは、健康を回復してその年のうちに帰国した。よかったと思う。またお会いしたいといいたいが、実は、私は一度もゴドウィンさんに会ったことがないのだ。これを最初に書くとしらけるので、最後に告白した次第だ。ひょっとしたらゴドウィンさんは、自身の名前のつく裁判が日本で行われていることも、知らないかもしれない。まあ、それでもいいのではないかと思っている。

エピローグ

コロナ禍、なかなか収束しそうにない。昨年（二〇一九年）一二月に強制連行関連の集会に招かれて韓国に行って以降、海外にでていない。毎夏恒例の南京ツアーも中止となってしまった。ＺＯＯＭの集会も増え、それはそれなりに慣れてきたが、やはり対面にはかなわない。

「コロナ自粛」は、いやだ。しかし自宅が六甲山麓にあるという地の利を生かして山に登ったり、家で少々迷惑なオカリナを吹いたりと楽しんでいる。そうこうしているうちに七〇歳になった。「むかし六〇のおじいさん」という歌があったが、七〇は立派なおじいさんか？いや、そんな気はまったくしない。でも、いろいろふりかえってみることも必要なことなのかなと考えた。

まず、べ平連神戸時代のことを書いてみた。五〇年も前の話だ。そのことにがく然とするが、一方で当時のことをいろいろと思い出した。楽しく一挙に書いた。第二弾が「阪神淡路大震災」だ。書き出すとまたそれなりに記憶がよみがえってくる。というような具合にコロナ自粛エッセイがつづき、「その七・ゴドウィン裁判」までできた。

実は、「その一、べ平連神戸」で書かなかったこと、書けなかったことがある。ここでそれを書いておこうと思う。

オウム真理教・早川紀代秀のことだ。私は一九六九年四月、学園闘争の時期に神戸大学農学部に入った。園芸農学科だったがその三〇数人のクラスのなかに早川もいた。そのクラスはみんなけっこう仲がよかった。クラス討論などもしたが、近くの鶴甲プール（冬はスケート場）に滑りにいったりもしていた。早川はそれほど活動的ではなかったが、クラス討論には参加していた。三〇数人のなかで彼は、中の下または下の上程度の意識派であったと思う。デモにも、最後列くらいで参加していたと思う。

オウム事件がマスコミで大きく報道された直後、立花隆さんが、「早川が革命をおこすためにオウム」に入ったと発言した。私はびっくりした。そんなことはない、と思った。その後、同級生にマスコミから問い合わせが殺到したが、同級生が一様に否定した。そのためだろうか、その立花説は消えていった。私は、入学時は彼と同級生だが、事情があって二年留年した。そのためその学年の同窓会名簿に私の名前がなく、マスコミからの電話がなかった。ただ一件、〇〇新聞が、「□□教授が「それなら飛田君に聞いたら」と言われたので」と電話がかかってきた。もちろん私も立花説を否定した。

べ平連からゴドウィン裁判まで、「極私的」としたエッセイを書き続けてきたが、これで一段落とする。ネタがつきたということではないが、コロナ禍でも少しずつ活動が再開してきている。エッセイの作文、印刷、発送というサイクルをストップしなければ、日常生活にもどれないのだ。

出版を引きうけてくださった社会評論社の松田健二代表と製作を担当された中野多恵子さんに感謝し、私的体験を書いたこの本が、単に過去を回顧するためのものではなく、未来のために少しは役立つことを願っている。

二〇二〇年一二月二五日

飛田雄一

筆者紹介■飛田雄一（ひだ・ゆういち）

1950年神戸市生まれ。神戸学生青年センター理事長、むくげの会会員など。著書に『日帝下の朝鮮農民運動』（未来社、1991年9月）、『現場を歩く 現場を綴る―日本・コリア・キリスト教―』（かんよう出版、2016年6月）、『心に刻み、石に刻む―在日コリアンと私―』（三一書房、2016年11月）、『旅行作家な気分―コリア・中国から中央アジアへの旅―』（合同出版、2017年1月）、『再論 朝鮮人強制連行』（三一書房、2018年11月）、『時事エッセイ―コリア・コリアン・イルボン（日本）―』（むくげの会、2019年5月）、『阪神淡路大震災、そのとき、外国人は？』（神戸学生青年センター出版部、2019年7月）ほか。

極私的エッセイ
コロナと向き合いながら

2021年2月8日　初版第1刷発行

著　者　飛田雄一
発行人　松田健二
発行所　株式会社 社会評論社
東京都文京区本郷2-3-10　〒113-0033
tel. 03-3814-3861/fax. 03-3818-2808
http://www.shahyo.com/

装幀・組版デザイン　中野多恵子
印刷・製本　倉敷印刷株式会社